刀剣書事典

得能一男

刀剣春秋

はじめに

本書は、故得能一男氏（一九三三〜二〇〇二）が小紙「刀剣春秋」の第二四三号から四八一号まで断続的に掲載された「古書遍歴」を、ご遺族の了承のもと再編集したものである。

日本刀を研究するには、実物を数多く手にとって見ることが重要であるが、一方で先人の足跡を辿ることもまた非常に大切であることは言を俟たない。

しかし、先人の究めたところを尋ねるといっても容易ではない。日本刀の研究は鎌倉時代末期のころから既に始まっており、しかも、文学や歴史学などと異なり、活字化された文献は極めて少ないのが現状である。そのため深く研究しようとすれば、どうしても古文書・古典籍に触れなければならない。だがその際に、その文書が歴史上どのような位置を占め、どのように評価されているかなどを知ることは決して無益ではあるまい。いや、それを知らずに研究を進めても新たな知見を付け加えることはほとんど不可能であるといってもいいだろう。

本書の意義の一つはそこにある。

お断わりしておくが、本書は古くから伝わる刀剣に関する文書や書籍を翻刻あるいは現代語訳したものではない。無論、必要に応じて部分的に翻刻しているところがないわけではないが、ごくわずかである。

今に伝わる刀剣書四十冊あまりを、それぞれに解題しているのだが、単に内容を紹介するだけでなく、紙質や様式などからも検討を加え、異本や別版があれば比較校合し、古文書学的に極めて精密な分析を行っている。

さらに、内容的にも、日本刀研究の第一人者であればこそできる批評を下しており、志を持つ人々にとっては、実に頼りがいのある指針となろう。

氏にとって、古文書・古典籍の解読・分析は、もちろん日本刀研究の一環ではあったが、それがすべてではなかったはずである。にもかかわらずこれだけの量をこれほどの精度で成しえたということは、実に驚くべきことである。その作業たるや膨大な時間を費やしたであろうことは容易に想像できるが、この連載を開始した時点で、得能氏はまだ四十九歳の若さであった。

連載にあたって、得能氏は「思いつくまま、筆のまま」と述べ、最初に「観智院本銘尽」を取り上げておられる。その後の取り上げられた順番にどのような意味があったのか、今となっては知る由もない。しかし、今回連載記事をまとめて上梓するにあたり、前述のように一つ一つの解題が極めて精緻なものであることから、取り上げられた文書・書籍を五十音順に配列し、「事典」として世に問うこととした。そのため、「事典」としての体裁を整えるために、氏の文章に多少手を入れることとなったが、読者諸氏にはご了承賜りたい。

ただ、「事典」という体裁ではあるが、氏の文章は決して堅苦しいものではない。読み物としても充分に楽しめるものである。徒然の慰みに、どの項からでも開いていただければ、充分に楽しんでいただけるであろう。

氏が逝去され、はや十四年の歳月が過ぎ去った。遺稿を埋もれさせず、世に問うことになったことは率直に喜びたい。同時にここまで時間が掛かってしまったことについては、泉下の氏、ならびに読者諸氏にお詫びを申し上げる次第である。

刀剣春秋編集部

平成二十八年八月吉日

刀剣書事典●目次

凡例

＊本書は、「刀剣春秋」の第二四三号・昭和五七年（一九八二）九月一日号から四八一号・平成四年（一九九二）十一月一日号までに断続的に連載された「古書遍歴」を再編集したものである。

＊「事典」とするために、本文を掲載している文書・書籍のタイトルによって五十音順に配列し直した。ただし、タイトルは著者が命名したものもあるので留意されたい。また、同じ理由で必要最小限の加除訂正を行っている。

＊文体を敬体から常体に改めたほか、年号については西暦を補い、また引用されている漢文については最小限の訓点を補った。

＊文中で、文書・書籍を収蔵している図書館・博物館などについて言及している箇所があるが、誤字脱字以外は原文のままとしている。したがって、資料の移動などによって、現在では収蔵していない場合もある。

『新刃銘尽《あらみめいづくし》』『新刃銘尽後集《あらみめいづくしこうしゅう》』

『新刃銘尽』は、神田白龍子が著した『新刃銘尽』六冊と、のちに池田吉兵衛他五名の共著で『新刃銘尽』の内容を補足するため出された『新刃銘尽後集』六冊の合計一二冊が一組になっているのが普通であるため、一項とする。

題名の新刃は「アラミ」と読み、新しく造った刀という意味である。『新刃銘尽』を現代の刀剣用語でいえば、さしずめ「現代刀銘鑑」ということになるだろう。

『新刃銘尽』が著された享保六年（一七二一）ごろには、まだ古刀に対する新刀という名称は成立しておらず、慶長以降に製作された刀は単に新刃といっていた。これは現代の我々が明治以降に造られた刀をひっくるめて現代刀というのと同じで、慶長元年から数えて一二五年にしかならない享保六年ごろに、まだ新刀という名称が定着していなかったのはむしろ当然のことで、古刀に対する新刀という名称が定着してくるのは、鎌田魚妙《なたえ》によって『新刀弁疑』が出版された安永六年（一七七七）ごろからであろうと思われる。

新刀について著した刀剣書といえば、『新刀弁疑』が有名であるし、代表的な著として知られるが、この『新刃銘尽』は新刀弁疑に先立つこと五六年前に出版された、新刀に関する初めての本である。『新刃銘尽』には、白龍子が序文で、「古作はすでにその善悪を明らかにされているが、新作はこれを知る人が希で利害得失を分かつ人が無い。堀川国広、肥前忠広、江戸の繁慶、虎徹などはじつに当世の名剣であるが、知る者が少ない。私は長年刀剣を好んで奥旨を極めたので、銘の真偽や作の甲乙を弁じて、刀剣を好む者の一助としたい」と誌《しる》している。

同書の内容は巻首の一九葉に凡例、用語解説や基本知識として、大小刀之事、目利大意、京都五鍛冶、三和泉、刀脇指寸尺之事、大小刀寸尺吉兇附焼刃吉兇之事、大小刀長短附そりの有無の事、研の次第、道具見様之事、さびある道具心得之事、拵物心得之事、数打之道具品々之事などについて誌し、続いて『新刃銘尽』巻之一に入り、頭字で寄せた鍛冶の個々について茎《なかご》押形と作風の概要を載せている。

茎の絵図等はまだ画一的で、特に銘字では、これだけで真偽の判定の基準とするのは無理ではないかと思うものも見られる。しかし、これはあくまでも現代の規準に照らしてのことであり、情報量の少なかった時代に遠国の現代刀鍛冶の資料を蒐集して銘鑑を編集するということは、当時としては大変な作業であったろうと思われる。

数打について記した項も面白く、大要を紹介すると、

「世俗に神田紺屋町打と云は江戸紺屋町にて打たるにてはなし。上身中身の品を定めて、大小ともに大坂にて数打に鍛へたるを以江戸紺屋町へ下して是より江戸中、諸国へ売ひろめたるによって、世俗の紺屋町打、或は紺屋町物と云也。其本は大坂にて打たるを今に至て上中下の品を定めて神田塗師町新身屋久左衛門の方へ下《おろ》すもの也。又古来の数打というは京都の柴辻、其外には奈良播磨の数打多し。又国々ともに数打といふもの有て、或は関の数打、肥前の数打など号す。是を国打の数物といふ也。しかれども古来多くは奈良、播磨、柴辻にて打たるによって、すべての数打の作を奈良物、播磨打、或は柴辻物というなり」

とあって当時の数打の実情がよく分かる。

『新刃銘尽後集』は、神田白龍子の『新刃銘尽』の遺漏を補うために、大坂の池田吉兵衛隆徳・田中九兵衛常富・中嶋清蔵泰徳・喜多川清兵衛頼久・神田四郎兵衛愛寿・中嶋惣兵衛寿福の六名が撰述したもので、七百八十余名の鍛冶名を挙げている。版式は『新刃銘尽』に準じているが、茎絵図が『新刃銘尽』よりは一段と精密になってきて、『新刀弁疑』の押形に近づいている。

「新刃銘尽」が成立したのは巻首の自序に「享保六丁丑歳孟夏望日　東武陰士　神田白竜子叙（印）」とあるので享保六年（一七二一）に成立したことは明らかだが、初版には刊行の年紀がなく、はたして何年に出されたのかはっきりしない。初版は巻末に「書林　京三条通高倉東江入　高井勘兵衛、同新町通五条　辻井吉右衛門　開板」とあるので、初版本が高井勘兵衛と辻井吉右衛門の二軒の書肆《しょし》が共同出版した本であることが知られるが、正確な出版年は判然としない。しかし享保十四年（一七二九）になると北尾八兵衛版が出ているため、これより前であることは間違いがないのと、初版の刊記から辻井吉右衛門の名前を削った第二版の高井勘兵衛版が、現存する部数のなかに占める比率が圧倒的に高いことから推して、高井版の刊行年数をある程度見なければならないので、初版の発刊は序文にある享保六年か、おくれても七年の初めごろであったろうと思われる。

この初版本は、共同の出版元であった辻井吉右衛門がほどなくして書肆を廃業したものとみえて、出版界で辻井の名を見なくなり、第二版の奥付からは辻井吉右衛門の名が消えている。おそらく当初に刷った第一刷で初版は終わったのではないかと思われるほどに現存数が少なく、滅多に見ることがない。

通常見る『新刃銘尽』六冊は、六冊目の巻末に「新刃銘鑑巻之六　大尾」とある欄外に「京三条通高倉東江入　高井勘兵衛」とあって、刊記から辻井吉右衛門の名が消えて、高井勘兵衛が単独で版元になっている第二版である。第二版の高井勘兵版のあとは、享保十四年（一七二九）三月に京都の寺町通五条上ル町の北尾八兵衛から第三版が出されている。第三版の北尾版以降の版についてはあまりはっきりしないが、享保二十年（一七三五）に北尾八兵衛から『新身銘尽後集』が出された時には、これと一緒に『新刃銘尽』も出されたものと思われ、刊記の全くない版もあるので、これまで述べたもののほかにも数版あったと思われる。

降って文政十三庚寅年（一八三〇）八月になると、江戸日本橋南一丁目の須原屋茂兵衛が『新刃銘尽』と『新刃銘尽後集』の版権を買い取って求版本を出しているが、これが江戸で初めて出された『新刃銘尽』と『新刃銘尽後集』となっている。しかし文政ごろになると魚妙の『新刀弁疑』が出されているので、売れゆきは大したことがなかったとみえて、須原屋の求版本は現存数が少なく、あまり見かけることがない。須原屋の求版本のあとは大阪の前川文栄堂版が出され、さらにそのあとは再び東京に帰って松山堂版が出ているが、いずれも出版部数は多くなかったようである。

『新刃銘尽後集』は、刊記のあるものがないので、『新刃銘尽』と同じく正確な刊行年は分からないが、序文の次にある凡例の終わりに「享保廿乙卯年十一月吉日　京都寺町五条上ル町　北尾八兵衛板行」とあるので、これを通常の刊記に代わるものと見るべきであろう。この『新刃銘尽後集』の構成は、古いものは八巻六冊だが、後刷りの新しいものには八巻五冊になっているものがあるため、五冊本の場合は内容の点検が必要になる。

著者の神田勝久は白龍子と号し、延宝八年（一六八〇）に生まれ、宝暦十年（一七六〇）八十一歳で没すと伝わる。また白龍子は儒者であったが故あって浪人となり、江戸紺屋町辺りに住居して、目利きとして聞こえていたといい、荒木一滴斎は『新刀弁惑録』の中で、古今の目利者の一人に神田白龍子を挙げて「神田木工　処士白龍子ト号ス」としている。

著書も多数残されており、『胆心精義録』（正徳二）、『合戦高名記』（正徳三）、『武経七書合解大成俚諺妙』（正徳四）、『和漢諸家名数』（正徳六）、『武家俗説解』（享保二）、『古今武家童子訓』（享保三）、『和漢捷径部類纂要』（享保四）、『和漢文類諸家名数』（享保四）、『難波軍記全解』（享保十一）、『三獣演談』（享保一四）、『雑話筆記』（享保一五）、『高田馬場流鏑馬之記』（元文三）、『古戦得失論弁』（宝永七）など各分野にわたる。

このように多数の著作を残している著名な学者にしては、どこの大名に仕えていたのか、なぜ致仕したのかなどは一切不明で、白龍子は謎に包まれた学者であったということができる。一説に講談師の神田白龍子と同人という説もあるが不明である。

『宇津宮銘尽《うつのみやめいづくし》』

宇津宮三河入道の手による『秘談抄』は従来の刀剣鑑定に関する秘伝を集め、これを取捨選択して再編集し、新たに宇津宮流ともいうべき新しい鑑定法を体系づけた、宇津宮三河入道流鑑定法の教本ともいうべき著である。これが室町末期の天正に至って子孫の竹屋理安によって手を加えられて『新刊秘伝抄』へと発展し、宇津宮流鑑定法は竹屋流と名を替えたものの、江戸時代における刀剣鑑定の基本となっており、長くその影響力をとどめている。

この『秘談抄』五冊は今日まとまった形では伝世していないが、世に『宇津宮銘尽』といわれているものは『秘談抄』を抜粋した主要部分であったと思われ、現存するものは安来の和鋼博物館に『銘尽』、刀剣博物館に『簗氏正長銘尽』と、それぞれ仮題して所蔵されている。

『宇都宮銘尽』の内容は「夫神代之剣号天村雲剣而云々」の序文から始まっているが、この序文は『観智院本銘尽』や、元亀本の『刀剣目利書』中巻所載の伝書の序文と全く同じであり、『宇都宮銘尽』の源流の一つに『観智院本銘尽』があったことが知られる。また、これに関連して『元亀本刀剣目利書』所載伝書のなかで旧記の分として載せている旧記というのが、はたして『観智院本銘尽』を指しているのか、それとも『宇津宮銘尽』であるのかという点が気になるところであるが、記事の内容からすると『宇都宮銘尽』を指しているのであろうと思われる。

序文に続いての巻首は、大宝年中の鍛冶に始まって後鳥羽院御宇に至るまでの主要鍛冶を七つの時代に分けて列挙し、鍛冶名の下には簡単な解説を付している。

鍛冶の時代区分は、『観智院本銘尽』では、天国・天藤・藤戸など八名の神代鍛冶と一条院以降の日本国鍛冶銘の二つに分けるか、あるいは後者を一条院御宇の鍛冶と後鳥羽院御宇の鍛冶に分けて、全部で三つの時代に分けるかのいずれかであり、同じく鎌倉末期に成立したと思われる『上古秘談抄』においても、わずかに日本刀成立以前の鍛冶を上古七人鍛冶として、大宝年中の友光・天国・文寿と、和銅年中の神息・

真守・実次・藤戸の二つに分けただけで、永延以降の時代区分には大きな変化は見られない。

これが『宇津宮銘尽』になると、日本刀成立以前の鍛冶を大宝、和銅、大同の三つに分けており、日本刀時代に入ってからの鍛冶は、一条院御宇の永延ごろの鍛冶と、白河院御宇の延久ごろの鍛冶、さらにこれに続く後白河御宇の保元のころの鍛冶と後鳥羽院御宇の元暦ごろの鍛冶との四つの時代に分けており、鍛冶の製作年代の区分が一挙に細分化してきている。

『宇津宮銘尽』が分類している各時代の主な鍛冶は次の通りである。文武天皇の大宝年中（七〇一～七〇四）の鍛冶は、友光・天国・文寿・藤戸の四名で、これを『上古秘談抄』と比べると、藤戸が和銅年中の鍛冶となっているのが異なるだけで、大きな変化はない。続いての和銅（七〇八～七一五）は、年代的にはわずか数年おくれるだけで、ほとんど変わらないが、神息と大原真守の二人を挙げている。これが『上古秘談抄』では藤戸と実次（備中あるいは熊野山の鍛冶という）が入って四名である。平城天皇の大同（八〇六）になると実次、盛国（備前あるいは奥州という）、安綱の三人を挙げているが、安綱の年代は上げすぎと思われる。

次の一条院御宇（九八六～一〇一〇）の初期、日本刀が成立したといわれている永延（九八七～九八九）ごろになると、人数も一挙に一〇名と多くなり、助包・義則・為吉（義則同人とも）・宗近・秦包平・正恒・信房・大和行平・高平・助平の名を挙げている。白河院御宇の寛治（一〇八七～九四）ごろの鍛冶名は友成、薩摩正国、行安、三池典太、河内有成、舞草行重の六名が挙げられており、続く後白河御宇の久寿（一一五四～五九）ごろの鍛冶は、薩摩の行仁法師・豊後家重・奥州月山・雲同・豊後定秀の五名で、最後の後鳥羽院御宇の元暦（一一八四～八六）になると、豊後行平・備前正恒・助包・真守・貞国・相州助真・関東など一二名を挙げており、通算鍛冶数は四二工となっている。

大宝年中より後鳥羽院御宇までの主要刀工三七名をそれぞれ時代別に整理分類したあとは、後鳥羽院の番鍛冶について「鍛冶結番」と題して、一月備前則宗、二月備中貞次、三月備前延房、四月粟田口国安、五月備中恒次、六月粟田口国友、七月備前宗吉、八月備中次家、九月備前助宗、十月備前行国、十一月備前助成、十二月備前助延の一二名を各月に分けて記載しているが、鍛冶銘、順序等は、観智院本第二種「後鳥羽院御宇被召抜鍛冶十二月結番次第」や、『上古秘談抄』の「御鳥羽院御宇鍛冶結番次第」、あるいはのちの『新刊秘伝抄』の「番鍛冶之次第」とも一致している。またこの中の三月番鍛冶延房の注に、「延房　備前国住人　今出川太政入道殿鉢丸造之又宇都宮重代之壺切同作作之」とあって、現在宮中にあって皇太子の象徴として尊ばれている壺切の御剣の作者であるとしているのが注目される。

この鍛冶結番の内容について付言すると、『上古秘談抄』と、これとほぼ同時代に成立したと思われる『観智院本銘尽』とを比較すると、観智院本のほうが第一種と第二種の月番を載せており、第二種の月番は『上古秘談抄』と同様であるが、第一種のほうは鍛冶の月番が二ヵ月ごとになっており、奉行の公卿も鍛冶もそれぞれ二人ずつとなっているのが特徴で、この『観智院本銘尽』の第一種結番は『上古秘談抄』やその後の伝書にある鍛冶結番と大きく異なっており、観智院本が編まれた当時、すでに鍛冶結番について二つの説があったことが知られる。

後鳥羽上皇によって鍛冶の結番が定められたのが承元二年(一二〇八)正月と伝えられるから、観智院本が著された正安から正和(一二九九〜一三一七)ごろや、『上古秘談抄』の著された正和三年(一三一四)からはおよそ一〇〇年ほど前になる。したがって、この一〇〇年ほどの間に鍛冶結番についての説が二つに分かれたものと見られるが、今ではその是非を知る術もない。しかし、考えられる可能性としては、後鳥羽院の意向をうけて決められた最初の規定では観智院本の第一種記載の通り、一二ヵ月毎の結番であったのが、実施にあたって、実情に合わせて各月毎の結番に変更されたということが考えられる。

鍛冶結番に続いて国別、系統別に鍛冶系図、あるいは鍛冶名を挙げ、これに簡単な説明を加えているが、その内容は「粟田口鍛冶系図」「大和国古今」「古今所々時代不同」「来系図」「近比鎌倉鍛冶」「備前国古今不同少々」「備中国古今少々時代不同」「異説在所不分明物少々」の八項目に分かれている。

「粟田口系図」では始祖を国家としており、その子および門人に国友・則国・久国・国安・国清・有国・国綱の七名を挙げるが、それまでの『観智院本銘尽』や『上古秘談抄』ではいずれも始祖を国頼としている。観智院本では、国頼の子あるいは門人に国友・久国・国安・国綱・有国の五名を挙げており、『上古秘談抄』では、国頼から国家―国友と続き、国友の子に則国・友末・王の三名を挙げていて、三つの系図は内容がそれぞれ異なっている。これが天正の『新刊秘伝抄』になると、国頼―国家―国友と続き、国友の兄弟に久国・国安・国清・有国・国綱の五名を挙げていて、現在の通説とほぼ同様の内容になってくる。

「大和国古今」では、系図らしいものがあるのは則弘尻懸則長尻懸子とある尻懸派の系図ただ一つで、他の当麻・手掻・千手院・保昌各派は代表工名を列記しているだけで系図としては誌していないこと、また系図としての内容から考えると、観智院本の千手院系図や『上古秘談抄』の当麻系図、千手院系図に比べて劣るといえる。また大和鍛冶として記載している鍛冶で製作年代の最も若いのが応安ごろ（一三六八～七五）

の手掻包吉であるが、これは本書の成立が応安ごろから応永（一三九四）にかけての間であったことを示唆しているものと思われる。

「古今所々時代不同」では主要鍛冶集団以外の二六名を、大宮と信国の系図を交ぜながら載せており、畿内では五条国永・綾小路定利・長谷部国重・了戒・了久信などで、これに信国派の鍛冶系図を載せている。東海道は遠江の友行だけで、北陸では金津権三・宇多国光。山陰では伯耆為清・日乗・丹波の幸貞。九州では波平行安・延寿国村・国吉・筑前実阿・西蓮・左・金剛兵衛盛高などで、このなかで最も時代の若いのは信国派の信定・定国で、製作年代が応永（一三九四～九九）であることから、『宇津宮銘尽』が編まれた当時の現代刀といえる。

「来系図」は『観智院本銘尽』『上古秘談抄』系図の抄出ともいうべき来鍛冶の正系々図で、初祖の国吉から国行―国俊―国光と続いており、国俊は二字国俊と来国俊同人説をとっている。この国俊同人説は、『宇津宮銘尽』だけでなく、観智院本も『上古秘談抄』『新刊秘伝抄』も、ともに国俊一代説を唱えている。現存する作例から推しても国俊一代説は正鵠《せいこく》を射ていることは明らかであるから、古人の判断能力は確かであったといえる。

「近比鎌倉鍛冶」は観智院本にある『鎌倉鍛冶』の系図をそのまま引き継ぎ、その系図の行光以降に

正宗――広光―┬―秋広
　　　　　　　└―貞宗

を加えたのがこの系図で、国光以降の分は現存刀から推して大略是認できる系図だと見られるが、室町末期の『元亀本目利書』や『新刊秘伝書』になると、正宗門人に貞宗・則重・義弘・金重・長谷部国重が加えられており、これがやがて正宗十哲へと変わってゆく。江戸期における最も非現実的な説である正宗十哲説の生まれる下地が、この『宇津宮銘尽』の編まれた応永から元亀・天正の間（一三九四～一五九二）に成っていたことが知られる。

「備前国古今不同少々」の記述は文字通り銘尽である。成立当初の形に最も近いと思われる和鋼博物館本では、鍛冶名一二五名をただ羅列しているだけで、鍛冶数だけでいうと備前国が最も多いのだが、本文に施した注はごく稀で、鍛冶数においても『観智院本銘尽』の備前鍛冶一五六名には及ばず、『可然物』の選定にあたって、そのほとんどを備前・備中鍛冶のなかから選んだ宇津宮三河入道としては、備前・備中鍛冶の情報不足は惜しまれてならない。なお、この備前国鍛冶の部分は、刀剣博物館本に製作年代や銘文、あるいは押形を加えたものが目立っているが、これらのほとんどは、その内容からして転写の際に原本に施した注をそのまま写したものであろうと思われる。

「備中国古今少々時代不同」には備中鍛冶四二名を挙げているが、内容は備前鍛冶と同様で注が少なく、ただ鍛冶名を羅列しているだけである。鍛冶数においては観智院本よりわずかに二名増えただけで、格別の進歩は見られない。

「異説在所不分明物少々」の項は「古今所々時代不同」の項とほぼ同様の内容であるが、延寿国村、国吉のように重複しているものや、和鋼博物館本の「三条吉則於和泉国作」のように製作年代が文明（一四六九～

八七）まで降る鍛冶も含んでおり、刀剣博物館本には明らかにこの項の鍛冶としては意味のない備前鍛冶・粟田口鍛冶・相州鍛冶の名を挙げているなど、和鋼博物館本も刀剣博物館本もともに、この項には転写の際の加筆や、あるいは原本の綴じ間違いによるかと思われる内容が交錯している。

『宇津宮銘尽』の本文はこれで終わるが、この銘尽の現存する写本のなかで最も代表的な和鋼博物館本と刀剣博物館本を比べてみると、大筋では両書ともに同じであるが、どちらかというと和鋼博物館本の内容のほうが簡素で古様であり、これに比べて刀剣博物館本のほうは、のちに書き加えられたと思われる部分が目立っており、内容が一段と詳しくなってきていることから、この二本のうちでは、成立当初の内容に近いのは島根県の和鋼博物館本のほうであろうかと思われる。

また、本文に続いて両書ともに巻末に識語を誌している。和鋼博物館本には「宇津宮三河入道本也、簗刑部左衛門入道円阿口伝本也、先考五林玖公白筆大集法成レ之、主重阿判」とあって、この本が宇津宮三河入道の伝書に簗刑部左衛門円阿の口伝を書き加えた伝書で、その所持者は室町幕府の同朋衆重阿弥であり、同書を筆写した者が重阿弥の師幸阿弥であったことが知られる。

刀剣博物館本には「右之證本者簗刑部左衛門入道円阿之直説也、宇津宮三河入道順阿―幸阿―玉林重阿―此利永、ゆめゆめくわいけんあるへからずひすべし」とあって、この本も原本は宇津宮三河入道から簗刑部左衛門―幸阿弥―重阿弥へと続いた伝書であり、これを利永という者が受け継いだことが知られる。この重阿から伝を受け継いだ利永は、周囲の状況から推して岐阜上加納の城主であった斉藤帯刀左衛門尉利永であろうと思われるが、この人物は寛正元年（一四六〇）四月二十七日に没しており、年代的にも符合する。

識語の後には、和銅記念館本が八頁、刀剣博物館本は二十頁をそれぞれ書き加えており、最後に和鋼博物館本は「此一冊故伊勢守貞親朝臣以テ二重阿相伝秘本ヲ一写スレ之ヲ、所コ持セシ之ヲ一処依リ二大内左京大夫殿ノ御所望ニ一書コ写シ之ヲ一訖ハンヌ、長享貳年戊申八月日、伊勢備中守　瑞笑軒ト云　常喜」とあるのに続いて「銘尽之本去々明応八年己未十二月十九　天王寺陣破レ二而河内国高屋城ニ一　同廿日敗北之砌紛コ失ノ之ヲ一間、於イテ二周防国ニ一難クレ去リ借用而写スレ之ヲ、文亀元辛酉五月廿一日、前上総介、春秋満六十、政近　在判」とあって、長享二年（一四八八）八月に伊勢備中守貞藤（常喜）が大内左京大夫のために筆写したものを、河内国高尾城で原本を失った畠山政近が文亀元年（一五〇一）の五月に借用して写したものであることが知られる。

刀剣博物館本のほうは巻末に「于時天文十四年乙巳姅月五日本阿（花押）本阿（花押）」の識語があって、斉藤利永の筆写した写本を天文十四年（一五四五）に本阿弥を名乗る者が二人で転写したように見えるが、子細に検討すると本阿（花押）の部分は明らかに後世の加筆であり、書写の年代も用紙や筆跡からして、あるいは寛永（一六二四〜四四）まで降るのではないかと思われ、年代の判定はにわかに決論を出し難く、なお検討を要するであろう。和鋼博物館本のほうは書写の年紀はないものの、紙質、書体から推して天正から慶長（一五七三〜九六）よりは降らないものと見られる。

著者の宇津宮三河入道は、足利三代将軍義満（応安元年〈一三六八〉十二月から応永元年〈一三九四〉十二月まで在位）に仕え、刀剣の目利きでは当時天下第一と称された人で、義満の命によって恩賞として下賜する太刀の基準を定めた「可然物《しかるべきもの》」は、刀剣の良否判断の基準として現在に至るまで尊重されている。

剣界に偉大な足跡を遺した宇津宮三河入道であるが、それが誰であったのかについては、これまでにも諸説があってはっきりしておらず、宇都宮三河守時綱入道蓮意であるとも、あるいは宇都宮藤重の子の根重であるとも、また宇都宮直勝の子正藤であるとも、諸説がある。時綱の場合は、出自が下野の宇都宮氏であることに加えて、三河入道の活躍年代からいって少々時代が上るように思われるが、『本朝鍛冶考』では宇津宮三河入道の法名を時綱と同じ蓮意としており、これも一概に否定はできないであろう。

宇都宮一族は、宝治元年（一二四七）に宇都宮泰綱が美濃の南宮社家に補せられてから南宮大社と密接な関係をもつ人が多かったようであることから、南宮大宮の祭神がもつ鍛冶神としての性格などを考えると、宇津宮三河入道の出自が美濃宇都宮氏であった可能性は高いのではないかと思われる。また宇津宮三河入道の出身が美濃宇津宮氏であったであろうことは、宇津宮三河入道の門流の人々と美濃の斉藤一族との交流が深かったことからも推測されるが、『宇津宮銘尽』の著者として最有力候補と目されているのが宇都宮根重である。

根重は宇都官系図に「宇都宮三河二郎、鉄道入道、以《テ》レ鉄《ヲ》造《ル》二諸器《ヲ》一　刀剣尤《モ》極《ム》二其《ノ》精巧《ヲ》一」とあって、この根重を宇津宮三河入道と考える人の多いのもうなずけよう。しかし同系図の根重の従兄弟にあたる宇都宮正藤の項には「宇都宮越中守号三河入道、文安二年二月二日卒　年七十九」とあるのを根拠に、正藤が三河入道であるとする説もあり、足利義満の在位と三河入道の年齢を比べると、正藤は時代が少し降るのではないかと思われる。

三河入道の師伝について、新井白石は『本朝軍器考』で「宇津宮三河入道という者斉藤（弾正忠）に受け伝えて云々」としている。これは『新刀弁疑』に「入道正宗彦四郎貞宗ニ剣相ノ事ヲ伝フ、貞宗九郎三郎秋広ニ伝、秋広斉藤某ニ伝、斉藤宇津宮三河入道ニ伝フ」とあるのと同じ伝承に基づくものと見られるが、『刀剣正纂』では「秋広よりして宇津宮蓮意、斉藤弾正、木本美作入道に伝へぬ云々」として、やはり秋広からとしながらも、宇津宮三河入道が直接秋広より伝を受け、これが斉藤弾正を経て木本美作入道宗剛と伝わったとしている。このほうが三河入道以降の伝承に無理がなく、事実、刀博本の『宇津宮銘尽』に載せられている伝系では、この木本美作入道の一門と思われる利永の名が見えている。

しかし秋広から伝を受けたという説に対しては、三河入道の子孫である竹屋理安が著した『新刊秘伝抄』は、序文で、

天子後小松院　将軍鹿苑院殿ノ御代　有リ二宇都宮三河入道者トイフ一、観二察シ剣刀ヲ一、知ル二利鈍ヲ一、恰モ如シレ指スガレ掌ヲ、雖モレ汲ムト二名越遠江禅門宗喜余流ヲ一、似テレ氷ニレ於二水青深藍ノ一、名誉独二歩ノ古今ニ一者也。然而製二作ス五冊秘談抄ヲ一

云々

として、宇津宮三河入道が鎌倉末期に刀剣鑑定で名を知られた名越遠江禅門宗吉の流れを汲む人であったとしている。現存する『宇都宮銘尽』を照合しても、宇津宮三河入道の著した『秘談抄』は、名越遠江入道流の伝書を底本として、これに三河入道自身の鑑識を加えて再編集したものであったと見られることから、三河入道の師伝については名越遠江流とする『新刊秘伝抄』の説が妥当であろう。

『永禄銘尽《えいろくめいづくし》』

『永禄銘尽』は、その奥書に、

三好宗三同新三郎殿秘蔵之本とて写《ス》レ之《ヲ》不レ可《カラ》レ有《ル》二他見一の方種々懇望之故也　当世之用不レ可《カラ》レ過《グ》レ此《ニ》。

永禄弐年二月十三日

とあり、さらに

右一冊雖《モ》二斟酌候《ト》一、難《キ》レ有《リ》蒙《リ》レ仰《セ》参《リテ》写《シ》訖《ハンヌ》、落字等誠《ニ》慮外千万《ニ》候、殆《ド》不《ル》レ知《ラ》二人之嘲《ヲ》一者也、堅《ク》可《キ》レ止《ム》二他
語《ヲ》一者也
于時　永禄十弐年三月日　弘照生年廿三

とあって、いずれも永禄の書写であるところから名づけられたもので、紙数がわずかに一四枚という、銘鑑としてははなはだ簡単なものである。しかも所載刀工のほとんどが南北朝期までの鍛冶であることから、鍛冶の製作年代からいっても、また伝書の体裁からしても、この伝書の祖本が成立したのは、南北朝期

（一三三六〜九二）から応永（一三九四〜一四二七）にかけての間であったと思われ、伝書の内容から推して『静嘉堂本文明銘鑑』と同一系の伝書であったと見られる。

その内容は、鍛冶を「上作」「中上作」「中作」「下上作」「下作」の五段階に分けており、巻首の上作の部は吉光、宗近、久国、正宗、国綱、正恒、信房、則国、友成の順で始まっており、それぞれに簡単な見どころと製作年代、その鍛冶の名物作例などについて誌しているが、下作になると、そのほとんどが解説なしで、単に鍛冶名と国名を挙げるだけにとどまっている。巻末に所載刀工数を「上作数十六、中上数拾五、中数卅九、下上数五拾九、下数百卅八、以上弐百五十七」としているものの、なかには金剛兵衛盛高、備前則光、土佐吉光など室町期に入る刀工も若干含まれていて、これらの刀工のなかには、のちに転写の際に加入されたものもあろうかと思われる。

また、本文の注に天文元年（一五三二）からの逆算年数が入っているが、これは天文年間に所持の銘鑑に注を施したものと思われ、この注を施したのは、奥書に「三好宗三同新三郎秘蔵」とあるところから推して、天文十八年（一五四九）に討死した三好宗三であったと思われ、これを息子の政勝が秘蔵していたものであろう。

三好宗三は、名物「宗三左文字」の所持者として剣界に名を残しているが、この当時の三好一門の人々はいずれも刀剣に関する鑑識力が高く、とくにこのあとに続く三好四兄弟と呼ばれる三好長慶、三好実休、安宅冬康、十河一存の四人は、いずれも名刀を所持していたことで名高く、その名を冠した名物には「三好正宗」「三好江」「実休光忠」「安宅貞宗」「十河正宗」などがある。さらに宗三の子とも甥ともいろいろにいわれている、一門の三好下野守は、三好三人衆の一人として知られているだけなく、刀剣の鑑識においては当時の武家目利を代表する存在であり、その鑑識を伝えるものに、三好下野守口述、細川幽斎編と伝承している『三好下野入道聞書』がある。

このように当時の三好一族は、織田信長が台頭してくるまでの数年間にわたって、畿内を中心に政治・軍事面で強大な力を誇っていただけでなく、刀剣目利の面でも、竹屋や木屋をも巻き込んで、やがて天正（一五七三～九三）から慶長（一五九六～一六一五）にかけて起こってくる武家社会一般に対する刀剣知識の普及という、大きな時代のうねりを巻き起こす起爆剤としての役割を果たしており、武家目利という一つの勢力の存在を強烈に印象づけている。

『往昔抄《おうせきしょう》』

『往昔抄』は宇都宮三河入道系の鑑定家木本美作入道宗剛に学んだ美濃の斎藤左京亮利英の指導によって、美濃の斎藤一族で長井を名乗ることになった長井利安（元粛・敬仲）が蒐集し、その子利匡（吸江）が編集した、親子二代の努力によって完成した押形集である。寸法は縦八寸九分（二六・九センチ）横七寸二分（二一・八センチ）。頁数は巻末の神戸直滋の跋文にあるように墨付八一丁、一六二ページである。

昭和三十年（一九五五）に日本美術刀剣保存協会から一〇〇部限定で複製本が出され、さらに昭和三十三年（一九五八）に辻本直男氏によってその釈文が出版されている。複製本は原本と同一寸法の大型冊子本で全一冊である。

名作や稀珍の作を網羅しているということにとどまらず、押形がじつに正確で、また一子相伝の口伝として秘していた数々の秘伝が押形の注として多く誌されていることから、当時の鑑刀水準をはっきりと知ることができ、また鍛冶の鍛刀地や代別、銘の特徴など現代の我々よりはるかに鍛冶の製作時に近い時代に生きていた室町の人々に残されていた伝承を、注によって知ることができる貴重なものである。そのほかにも所持者名や値段などを書き込んだものがあり、室町末期の刀剣を知る上で貴重な資料となっており、昭和十九年（一九四四）七月重要美術品に認定されている。

『往昔抄』の内容は美濃の斎藤一族が所持したり経眼した古今の名作や稀品に加え、当時の現代刀であった長享（一四八七〜八八）ごろの刀まで丹念に網羅し、これを地域、系統別に分類して編集したものだが、押形はすべて茎のみの押形である。それは当時の押形がいまだ刃文を描かず、茎絵図だけが通常であったことによる。

刃文まで描いた押形、あるいは全身を記録した押形は、転写本では「弘治二年三月吉日　本阿弥光心（花押）」の奥書を有する押形本に刃文を描いたものがあり、原本で現存するのは、天正三年（一五七五）から天正九年（一五八一）までの書き込みがある押形で、本阿弥光二のものと思われるものである。現在のところ、この二点より時代がさかのぼると思われるものを見ないので、押形に茎だけでなく刃文も記録するようになったのは弘治（一五五五〜五七）から天正（一五七三〜九二）ごろにかけてであったと考えてもよいのではないかと思われる。

『往昔抄』の茎押形は銘文、鑢目《やすりめ》、目釘孔など、当時としてはじつに丹念に、一点一劃に注意を払って写したものと思われ、正確に特徴を捉えて描いている。江戸時代に最も流布したと思われる刀剣書である『古今銘尽』のうちの押形部分（三冊）は、刃文と茎の双方を載せた五巻と茎押形のみの六・七巻とに分かれているが、六・七巻の「心形像押形」の半数余にのぼる四六〇図が、この『往昔抄』から採られていることは、辻本直男氏が『往昔抄』の釈文の出版にあたって指摘されており、この『往昔抄』が江戸期における刀剣研究の資料として大きな貢献をしてきたことは明らかである。

茎の注にある「可然物」は、宇津宮三河入道が足利義満の命によって「将軍が太刀を下賜するのに然るべきもの」ということで備前・備中の鍛冶のうちから斬味の優れたものを選んだものである。

「注進物」は北条時頼が諸国に命じて、物斬れのした名刀を注進（報告）させたものを、正和二年（一三一三）正月十一日にとりまとめたもので、三条宗近以下六〇工の名が連ねられている。

「新作」は注進物、可然物に洩れた鍛冶のうちからさらに役立つ刀を選んだものかと思われ、新作の備考に「新作には名作程の物も入それより下の物も入、然ば新作物をば、只銘の物と申すべし」とあって、いまひとつ基準がはっきりしないが、備前基近以下六十余工をあげている。

「西明殿被評定鍛冶廿二人之内也」とあるのは、最明寺道崇すなわち北条時頼によって選ばれた名工二二人のうちに入っているということである。また「追加西勝円寺殿評定廿人内也」とあるのは、北条貞時が、北条泰時・時頼が選んだ名工の追加として選んだ二〇名のうちであるということである。個々の刀工の注では、代付の貫目が書いてあって、能阿弥が百貫文の代付をした藤次郎久国の太刀や、二十貫文の吉房太刀があって、同じ吉房でも十貫文の吉房があったりとなかなか面白い。正宗作太刀で三貫文とあり、短刀では西蓮が七貫文、実阿が五貫文などと出ている。まだ濃州蜂屋正光の短刀に「京ニテハ二百疋斗、濃州ニテハ五百疋斗」とあって、京で二百疋しかしない蜂屋正光が、郷里の美濃では五百疋もするということで、郷土の人気というか、身贔屓《みびいき》のほどが知られて面白い。

それから他本には見られないが、正宗の短刀の注に「此めいは五郎入道　尾州赤池にこしてしばらく住する銘也、宗の字中のたて点いづるなり」とあって、相州正宗が尾州赤池に駐鎚した際の銘の特徴を述べているが、当時の美濃には正宗が近くの尾張まで来て駐鎚したという伝承が遺されていたものとみえて興味深い。

『往昔集』の成立についてはその跋文に、

右此写物者　亡父元粛公従リ二若年一依リレ有ルニレ志一当リ二古今ノ銘作等ニ一就キ二木本美作入道宗剛之正滴(嫡)利英ニ一口二伝スヲ之一。然而《シコウシテ》太刀刀中心并銘以下ヲ所ノ二写置シタル一冊子之内抜キレ箇ヲリ採レ要ヲメ集而成テスニ一巻ト一。実ニ為ルニ二九牛ノ一毛一間　仮ニ音シテ名フ云二往昔集ト一。自リ二永正八辛未季夏ノ此一至リテ二永正十三丙子季秋ノ末ニ一畢《オワル》レ功ヲ者也。但口伝抄上・中・下巻、進藤五列伝上下巻別ニ在レ之如キレ此ノ(嫡)的伝ノ(伝)秘術之条利匡子孫一人之外不レ可カラレ許スニ外見ヲ一穴賢々々。

この跋文によると、利匡の父永井利安（元粛）は若い時から刀剣趣味があって、木本美作入道宗剛の門人利英について刀剣の目利きを学んでおり、名作などを見るたびに利英の教えを乞い、これを押形に記録して貯えてきたものが大量にあった。永正五年十一月父元粛が没し、この押形資料を相続した利匡は永正八年の六月から永正十三年九月までの五ヵ年を費して、この厖大な資料を取捨選択し、一冊の本にまとめた。これが『往昔集』であり、口伝抄三巻、進藤五列伝二巻とともに大切に秘蔵し、一子相伝の秘書として他見を禁じていたことなどが知られる。

利匡の父元粛は、美濃の斉藤一族のうちでも最も有力な武将で、歌人としても知られていた斎藤利藤（妙椿）の子で、藤左衛門利安と号し、越中守に任じている。応仁二年に承久以来の美濃の名家として聞こえていた永井家が滅亡すると、同年その家名を襲い永井利安を名乗っている。法号を敬中元粛といい、永正五年十一月十九日に没している。

元粛の兄利永も刀剣に志が深く、岐阜上加納の城主であり当時の美濃で有力武将として知られているだけでなく、重阿に相伝をうけた刀剣の目利きとしても知られている。利永の子の利国は、有名な「ソハヤの剣」に「妙純伝持」と切りつけた、あの一超妙純である。

永井利安（元粛）が師事した利英は斎藤一族の斎藤左京亮利英であったと思われ、利英の師木本美作入道宗剛は重阿に相伝をうけているが、この重阿は土岐家の被官であったと伝えており、鎌倉末期の名越遠江入道崇喜から南北朝の宇津宮三河入道鉄道を経て、応永の能阿弥に伝えられた刀剣の目利きは、さらに幸阿弥から重阿弥に至って美濃で花開き、当時の美濃では刀剣の目利稽古が全盛であったと見られる。

このような時代を背景にして、『往昔集』は生まれるべくして生まれたということができる。利安の従兄弟になる斎藤利国の妻は関白一条兼良の娘であり、利国の孫利春は金座後藤家の始祖である。『往昔集』に載せている名刀の数々も、裏にこの華麗な人脈のあることを知れば納得できる。

この『往昔集』は、編者永井利臣（吸江）の友人神戸平直滋がこれを書写した際に『往昔抄』と改められた。一子相伝の秘書として大切にされていた『往昔集』を、たとえ友人といえども他人に之を写すことを利臣が許したのは事情があったからで、その事情を利臣は本書の序文で次のように明らかにしている。

此往昔抄ハ愚拙睡餘ニ為レ残サンカ二家童ニ一以テ下従（ヨリ）二亡父一展転之證本ヲ上半紀之間ニ所ノ二写シ置キシ一之一冊也。去ル永正十四

冬濃之福郷ニ就キ二忽劇ニ一家本落ツ二民間ノ手ニ一。鳴呼惜哉。爰ニ旧友平直滋覓（モトメ）二此一冊ヲ一見（ラル）レ与ヘレ余ニ。

厥（ソノ）志ハ高クレ於（ヨリモ）レ山深シレ於（ヨリモ）レ海矣。

仍（ヨッテ）為ニレ報インガ二厚意ニ一以テ二家本ヲ一投ジ二直滋ニ一令ムレ写サレ之ヲ。

餘ハ在ル二口伝ニ一而已（ノミ）。

但嫡孫之外ニレ不レ許サ二外見一者（バ）有ル二妙剣ノ加被一者也。

永正十一（十六の誤り）

己卯年仲春吉日

吸江　在判

これによると、利匡（吸江）は亡父永井利安（斎藤元粛、敬仲）から相続した茎押形を、半紀之間、つまり六年の年月をかけて地域・系統別に分類して編集し、これを一冊の本として大切に秘蔵していたが、去る永正十四年（一五一七）の冬、美濃国内で土岐家の後嗣をめぐって嫡子政頼派と次男頼芸派に分かれて対立した際の争乱に巻き込まれて『往昔集』が行方不明になり、はなはだ残念に思っていたところ、友人の神戸三河守平直滋が民間の手に渡っていた『往昔集』を発見して吸江に届けてくれたので、この厚意に報いるために永正十六年（一五一九）、直滋にこの『往昔集』を転写することを許したことが知られる。

現在に伝わる『往昔集』はこの時の転写本で、序文も本来は吸江自筆のものがあったはずだが、破損したらしく、天文十六年（一五四七）十一月二十三日に神戸直滋が跋文を誌した際に序もついでに書き改めており、現在の序文は神戸直滋の手になる天文のものである。

『解紛記《かいふんき》』

慶長十二年（一六〇七）三月に初版が出されたこの本は、版行年月の確実な刀剣書の出版の嚆矢《こうし》ということができる。構成は全四冊の中型本で、前後巻一冊と、上・中・下の三巻三冊から成っており、初版の出た慶長十二年の七月には、すでに内容の一部を変えて再版しており、さらに同月中に一部の字句を訂正した異版を出しているから、都合三版出ていることになる。

しかし現存するものはわずか数部しかない稀覯《きこう》本で、端本でさえもめったに見ることがない。完揃は国会図書館、内閣文庫（二部）、東洋文庫（岩崎）と著者の所蔵したものの五部だけとされる。そのほかに本間順治氏のところにも一部所蔵されている、あるいは水戸の彰考館の蔵本も完揃だということが伝聞される。端本は天理大学と竜門文庫にある。

木活版が流行した慶長・元和の出版文化史上から見ても、この『解紛記』は珍しい部類に属しているが、それは大きさが中型本ということである。慶長の私家版はいずれも営利を度外視したものであるから、どの本も立派で、堂々とした大型本が多く、その点で当時の木活版として『解紛記』の中型本は、あまり類を見ることの少ない珍籍であるということができる。

用紙は楮紙《こうぞ》の腰の強い立派な紙で、活字は二字、あるいは三字続きのものを交じえており、嵯峨本などに見る流麗さとはまた趣の異なった書体で、著者の黒庵が「右悪筆の無憚、はんき（版木）におこし、進儀、他へちらす間敷為なれば、よまれざる所をハ、かな（仮名）つけにて、御勘忍可有候云々」と誌している通り、黒庵の自筆を活字にしたものかと思われる。

著者の黒庵については、いまだ明らかにされていない。内容については辻本直男氏が『刀剣美術』の二号から十一号に全文を紹介されている。なお書名の解紛とは「紛らわしきを解く」の意である。

『鍛冶名字考《かじみょうじこう》』

「享徳元年（一四五二）十月二日　渓主」の奥書がある写本で、天理大学附属図書館所の所蔵。この本は享徳年紀があるところから『享徳銘鑑』とも呼ばれるが、原本としては観智院本に次ぐ古い写本で、もとは三井家に旧蔵されていたものが戦後に天理図書館に納められたものである。

内容は様々な本を集めて編集したものと思われ、首尾一貫していないが、他の伝書には見当たらない記事がかなりあり、有名刀工の個々については物語風の記事が多く、室町前期の剣書の態様を知る上で貴重な資料である。

編者と思われる渓主については不明であるが、記述の内容からすると、刀についての知識はあまりもっていなかった人であろうと思われる。居住地もはっきりしていないが、巻末に「備中建久寺本」という一項目を設けて、古青江鍛冶や一文字鍛冶など七系統の鍛冶系図を掲げているので、この編者は建久寺の伝書を見ることのできた人ということになる。また字を書き慣れた身分の人であったことは、この伝書の書体からもうかがえるため、この渓主は備中あるいは備前などの中国筋の人であった可能性が強く、普段字を書き慣れている僧であったのではないかと思われる。

巻首は「名乗字」と題して、頭字の読みによって、同音の字を集めた簡単な辞書的な部分が三頁続く。次いで「伯耆国住鍛冶等」として、天国・藤戸・是国・実次・盛国・為義・義国・助将・安縄・有縄・真守・武保・真縄・安守・日乗・御師・重永作・則光・重利・国宗・有正などの名を挙げているが、総体に製作年代のつり上げがはなはだしく、しかもこれらは全部が伯耆鍛冶というわけでなく、例えば盛国が大同、為義が養老、義国が神亀、助将、助村、助守が天宝勝宝というふうに、時代のさかのぼる伝説中の上古鍛冶もこのなかに含めている。

続いて「筑紫住鍛冶等」と、地方別、国別に鍛冶を分類しているのだが、本書では国別の記述順位が江戸期以降の畿内鍛冶から始まる街道別の国分け分類と異なり、まず時代が古いものとして伯耆、筑紫を挙げ、続いて備前、備中、備後、讃岐、播磨と中国、四国地方の国々を挙げており、それから和泉、河内、丹波、山城、京都、大和の順で畿内鍛冶が続いている。この畿内鍛冶のなかに山陰の丹波を含めていることや、山城鍛冶と京都鍛冶というふうに京都市内の鍛冶と京都周辺の鍛冶とを区別していることが珍しく目を引く内容である。畿内鍛冶のあとは美濃、越中、信濃と東山道、北陸道の国々が続き、最後は東海道の三河、遠江、駿河、相模に続けて、奥州、不知国で終わる。

この分類を見ると、いかにも刀剣伝書の少ない室町前期らしく、編者の興味を優先させたかと思われるほどに独自の国別分類方法をとっているのが目立っている。「筑紫住鍛冶等」で目立つのは、紀新太夫行平について、三頁半にわたって行平が鬼神太夫といわれる所以《ゆえん》について述べていることである。また神息は竜神の化身であり、その子が行平と筑紫正恒であるとしているのは、いかにも中世らしい発想といえよう。これに加えて太刀の製作は神息から始まるとしているのはいかなる根拠によるものか、注目される記述である。

また、そのほかにも他書には全く見られない異色の説を載せており、その一部を紹介してみると、まず応神天皇の御宇より鍛冶が始まったとして、応神天皇の御作は太刀の鎺金《はばきがね》の上、太刀の佩表に「南無応神八幡大菩薩」と打ち、裏に「南無薬師瑠璃光如来」と打つと、見てきたように書いている。また継体天皇の御宇から「やじり」が始まり、履中天皇の御宇から「熊手」が始まり、以降歴代の天皇が自ら太刀、刀、長刀を鍛え給うとして、欽明天皇の御作は太刀が三尺二寸、刀は八寸五分、長刀は二尺三寸で、太刀は切先が細いとか、用明天皇は銘を「伯瀬」と打つとか、聖徳太子の御作は、銘に「観」の字を打つものや「十一」と打つものがあって、これを用いた人は勝負に勝つとか、何とも言いようのない珍説が延々と後鳥羽院の御代に至るまで続いている。

さらに後鳥羽院の御番鍛冶について記しているが、他書にも載せている太政官符の写しで注目されるのは、月並奉行は六十日、鍛冶は一月に二十日勤としていることである。

そのあとに続くのが「備中建久寺本」で、この項には古青江鍛冶、備前一文字鍛冶、長船鍛冶、大和千手院鍛冶、粟田口鍛冶、陸奥国鍛冶ならびに備中瀬尾鍛冶、備前国宗、浪平鍛冶の各系図に続いて「鍛冶名寄」で終わっており、巻末に「正宗五郎入道、強（広）光、彦四郎一説ニハ秋強（広）兄弟、定（貞）宗彦四郎、行光東（藤）三郎、国光新藤五郎、則重五限入道弟子、秋弘（広）九郎三郎　弘（広）光九郎二郎」と相州鍛冶の名を列挙している。この部分は誤字や当て字の多いのが目立っており、他の部分と比較しても到底他書から筆写したものとは思われず、おそらく聞書であったものと見られる。

『観智院本銘尽《かんちいんぼんめいづくし》』

原題名は不明。京都にある東寺の塔頭の一つ、観智院に古くから伝来したので、この名をとって「観智院本銘尽」と呼ばれる。現存する剣書では日本最古のもので、応永三十年（一四二三）十二月二十一日に行蔵坊幸順によって写された原写本である。

この写本の原本は、おそらく数種の刀剣書であったと思われるが、そのなかの一部に「正和五年（一三一六）までは……年なり」という記述があるので、別名を「正和本銘尽」ともいわれている。また一部に「正安頃（一二九九〜一三〇二）五百余歳歟」という記述があり、内容から推して鎌倉末期頃の原本が三、四種あって、これを編集して写したのが応永三十年ごろであったと思われる。

中世の鍛冶銘鑑としては、所載刀工数も多く、内容も割合と豊富で、室町期の古剣書と比べて鍛冶の出自やその他について異なった記述が随所に見られて興味深い。刀剣史の基礎資料として、刀剣を研究しようとする者にとっては、必ず一度は読まなければならない本である。

文化年中（一八〇四〜一八一八）に至って、観智院より津田葛根に、この本が反故の処分という名目で贈られ、明治になって津田葛根の子孫から、明治・大正期における刀剣界の先達の一人であり、古剣書の蒐集に力を注いだ、松平頼平子爵に譲られた。子爵はほどなく「国家の珍籍を私すること能わず」として、人を介して帝国図書館（現在の国会図書館）に納入し、戦後の昭和四十三年（一九六八）四月二十五日、重要文化財に指定された。

類本としては、観智院本銘尽のうちの正安頃成立した原本の流れを汲むと思われる『鍛冶銘尽《かじめいづくし》』一冊がある。これは正安本に応永頃までの鍛冶を追加したものである。

『木屋常長伝書《きやじょうちょうでんしょ》』

木屋常長著。慶長七年(一六〇二)奥書。伝書は墨付二四丁に表紙がついただけの簡単なもので、内容も素朴なものであるが、適確で説得力があり、現代にも適用するものである。例を挙げると、鑑定の順序について、「一、目利物、一、姿・峰・鎬、二、鍛・膚の色、三、彫物・樋ノ心、四、者及煑・移、五、帽子帰・湯走り」とあり、現代よりもむしろ厳しく見ることを求めている。

この伝書の底本となったのは、美濃の南宮神社の社家であった宇都宮一族の出身で室町時代に天下第一の目利きと称された、宇都宮三河入道が編集した、『上古秘談抄』である。尾張の竹屋は、この宇都宮家の末裔といっているが、同じ尾張在住の木屋もまた、諸般の情況からして宇都宮家とは密接な関係にあったのではないかと思われる。

伝書の構成は『秘談抄』から採った左の五条と、

一、正銘不正銘之事

一、其作之両度焼之事

一、堅太刀刀後炮加減事

一、古其時代牙似作之事

一、焼直物之事

新たに加えた、次の五条である。

一、鉄鍛上中下之事
一、地色上中下之事
一、刃色上中下之事
一、古来之鍛治為似作之事
一、出来様似タル作之事

これに「国分詠歌」と「明物見様の事」が加わって一冊となっている。奥書は、

右五ケ条之表不レ残《ラ》相伝《ヘ》畢《ヘ》聊《モ》以《テル》不レ可《カラ》レ有《ル》二外見一者也、高上々々口伝々々可レ秘《シス》云々

木屋勝八

久保（花押）

于時慶長七暦壬寅九月吉日

松長兵衛尉殿　参

著者の木屋常長は、父常堪とともに最盛期の木屋を代表する人物であり、研ぎの上手な人で、鑑識もまた優れていたと伝わる。名は久保。通称を、はじめ荘左衛門、長十郎、のちに勝左衛門と改め、法号を常長というとされるが、本書の奥書に「木屋勝八久保」とあり、もう一本の慶長十四年（一六〇九）のものには「木屋勝八郎久保」とあるので、父の勝八郎父元（常堪）が剃髪して清洲に隠居したあと、一時勝八郎を襲名

していたのであろうと思われる。

常長は幼少のころから父とともに織田信長に可愛がられ、信長没後、十四歳で秀吉に謁し、相剣の事を訊ねられた際の弁舌が明らかで、博覧強記で太閤を驚かせたと伝わる。晩年になっても、その鑑識はおとろえず、寛永の初め、江戸城で秀忠将軍に拝謁した際、十本の刀を出され、うち八本を適中させて褒賞として綿衣一重ねを賜っている。慶長十三年(一六〇八)、二代将軍秀忠より、京都在住のままで切米二百俵、二十五人扶持をうけ、保忠・保房の兄弟が父に代わって、隔年に江戸に出府して研ぎの御用を勤め、正保四年(一六四七)九月十五日、京都で七十四歳没と伝わる。

『享徳銘鑑《きょうとくめいかがみ》』

→『鍛冶名字考』の項を参照。

『金工鑑定秘訣《きんこうかんていひけつ》』

野田敬明の著で、上下二冊本。文政三年(一八二〇)秋、江戸神田鍛冶町の書林北島長四郎によって刊行されたものである。装剣具についての刊本は、発行年の古い順では、まず天明元年(一七八一)刊行の『装剣奇賞』があるが、『金工鑑定秘訣』はこれに次ぐ刊行である。

本書の内容は、後藤家の各代と傍後藤について、その略歴と細工の手癖について述べ、加えるに各代の代表作を選んで図版を載せ、簡単な説明を加えている。慶長以降、写本として流布していた『後藤伝授書』を底本として、これに敬明の意見を付したものであるが、刊本としては初めてのことであり、加えて鮮明な図版で各代の代表作を出しているのが目新しく、金工鑑定のための書籍としては、初めて出版された本格的な専門書といえる。

特に下巻では、発売当時本に封印をして、これに「二之巻極秘伝」という朱印を捺して、店頭で立読みされるのを防止するなど、新しい発想が見られる。本を買わないと開けて読めないように封を施して発売するのは現在もよくある手法だが、本書などはさしあたり、その嚆矢というべきであろう。

封印をして売っただけあって、下巻の内容は実地に役立つ実用性のあるものが多く、後藤各代の彫り口の見どころを一々親切に図解して、一目で分かるようにしてあり、さらに銘振りや花押、折紙の筆跡など豊富な図版で説明しているため、装剣具を需《もと》めようとする人、また商う人にとっては欠くことのできない貴重な本であったと思われる。

図版の原画は、高瀬伴寛・野田政明の両人、彫りは江川留吉だが、彫り・刷りともに見事なものである。後の大正六年に松山堂藤井利八が再刊している。

著者の野田敬明については、本阿弥長根が本書の緒言で「野田敬明なる人は刀剣を商うをもって業とし、兼て書画をよくす、かつていう刀を操りて金鉄を彫は難く、毫を揮ひて紙帛に画はやすし云々」と紹介しており、野田敬明は刀剣商であり、刀剣・刀装具に関する鑑識にすぐれているのはもちろん、書画を画くのも上手であり、美術全般についての鑑識にも長けていた文化人であったと見られる。『金工鑑定秘訣』以外にも『江戸金工銘譜』『鑽工二十八気象』などの著作があるが、この『金工鑑定秘訣』が代表的な著述であることは論を俟たない。

野田敬明は、文政二年五月の日付がある凡例の中で、後藤家彫二巻二冊に続いて、横谷家と奈良氏の彫刻鑑定についての二冊も続いて出す旨を言明しているが、続巻の三巻・四巻は、これまで確認されたことがないので、はたして出版されたのかどうかは疑問が残る。おそらく計画はあったが出版されなかった可能性の高い幻の著作と思われる。

但し、本書には版が二版あり（あるいは刷だけかもしれない）、初版と思われるものは、奥付に刀松軒蔵梓、北島長四郎とあって、表紙の見返しは白紙のままで、著者が以前に実見した犬養木堂旧蔵本は、表紙の見返しに後藤彫の龍虎を配して「野田敬明著、全四冊、金工鑑定秘訣、東武弘文閣発行」とあったので、もし追加の二冊が本当に出版されたとすれば、この本あたりがそれに該当するものと思われるが、内容は北島長四郎本と全く同一であったように記憶している。

また、見返しに刷られた弘文閣というのは、北島長四郎と同じ神田鍛冶町で出版業を営んでいた北島順四郎が名乗っていた屋号であるから、本書ははじめ北島長四郎が二巻を出版し、その後、一族の北島順四郎が版木をそのまま受け継いで四冊全巻の出版が企画されたものの、事情があって取り止めとなり、表紙の見返しをそのままに再刊されたのではないかとも思われる。

『口伝書《くでんしょ》』

慶長期に出版された刀剣書で、刊記のある最古のものが黒庵の『解紛記』であるが、刊記のないものでは、『解紛記』とほぼ同時か、あるいはそれより若干さかのぼるかもしれないと思われる時期に出版されたものに、松田道似久元の『口伝書』と『本朝古今銘尽』がある。

この二つの古剣書には、ともに巻末に慶長十二年（一六〇七）の松田道似久元の識語があるので、慶長十二年にすでに出版されていたことは明らかである。可能性としては慶長十二年よりわずかにさかのぼるかもしれず、刊記の無い古活字版の剣書では、この両本が最古の出版物であることは間違いないが、いずれが先行するかは明らかになっていない。

著者の松田道似久元については、あまり確実なことは知られていないが、古書学者のなかには松田道似と本阿弥光悦を同人とする人もある。そもそも本阿弥家の本姓は松田と伝えているし、『本朝古今銘尽』の慶長十二年の識語に、木屋良茂名のものと松田道似のものとがあることや、慶長十六年（一六一一）の識語に「右銘尽　竹屋以正本確相写畢」とあることなどから考えて、当時の木屋・竹屋・松田道似の三者の関係は非常に密接なものであったことは間違いなかろうと思われる。よって当時の本阿弥家と木屋・竹屋の力関係から推測すると、松田道似が本阿弥光悦の筆名であった可能性はある。

『口伝書』は一冊本で、その体裁は縦二五・六センチ、横一八・二センチ、本文の紙数は四〇枚、各頁とも無界で、平仮名交じりの一行一七、八字詰めの一一行である。表紙は茶褐色の栗表紙で題簽《だいせん》に「口伝書」と光悦風の筆蹟で書かれている。

内容は刃色・地色による上作・中作・下作の見分け方に始まって、続いて宗近以降三四名の著名鍛冶の説明と主要な系統の鍛冶系図を載せ、さらに「後鳥羽院御番鍛冶」と「諸国同名」と題する銘尽に七五の鍛冶名を載せている。最後の一枚は雑録とでもいうべきもので、当時の鑑刀上の常識であったと思われる、京物は切先横手内の刃が直刃になるとか、備前物はだいたい横手の内の刃が乱れることなどを記している。

この『口伝書』は、伝書の系統からいうと竹屋系に属する伝書で、内容に竹屋の伝書に共通する記述が多いので、『本朝古今銘尽』の慶長十六年（一六一一）の識語に見られるのと同じく、この『口伝書』も竹屋系の伝書を底本として著されたものであろうと思われる。

現存する『口伝書』で所在の明らかなものは、慶長十二年（一六〇七）の識語のあるものが竜門文庫に、慶長十三年（一六〇八）のもので小汀文庫旧蔵本で著者が所蔵するもの以外には、昔三越の古書展に出品された三井家旧蔵の慶長十三年の識語のあるものと、戦後の所在が不明のものに慶長十二年霜月の識語のあるものが、どこかに存在しているはずであるといわれる。現存するものは、所在不明のものも含めて、わずかに五部だけであり、『解紛記』よりもさらに現存数の少ない稀覯本である。

『元《げん》亀《き》本《ぼん》刀《とう》剣《けん》目《め》利《きき》書《しょ》』

題名の『元亀本 刀剣目利書』は、旧蔵者の小川卓爾博士の命名によるもので、下巻の巻末に元亀元年（一五七〇）云々の奥書があることによって名づけられたものと思われる。本の体裁は、上中下の三冊に分かれた大型本で、紙は腰の強い楮紙を使用しており、縦が三〇センチ、横が二二センチもある堂々とした本である。表紙は後に付けられたもので、題箋に小川博士の手で「元亀本刀剣目利書」と墨書してある。内容は室町末期にあった各種刀剣伝書を編輯したもので、原本となったものは数本あったものと思われる。

成立は下巻の巻末に「本ニ云元亀元年庚午三月十日」とあることから、原本のなかの一本が元亀元年の奥書を持つもの、あるいはその写本であることが明らかであり、したがって本書の成立もまた元亀元年以降であることは疑う余地がない。紙質や本の体裁から考えて、この本は元亀・天正から慶長の初めに至る間に書かれたのではないかと推定される。永禄が元亀と改元されたのは永禄十三年四月二十三日であるから、元亀元年三月十日は、正確にいうと永禄十三年三月十日でなければならない。この点については転写の際に、干支によって永禄十三年が元亀元年に訂正された可能性も皆無ではないと思われるので、本書の原本あるいはこれに近い古写本の出現を待って解決すべきであろう。

奥書に若干の疑問があるとはいうものの、内容は豊富でしかも良質な伝書であり、記述が同時代の刀剣書のなかでは他に類を見ないほどの広範囲にわたっており、貴重な資料価値をもっている。上巻は名越一族の長で刀剣鑑識に長じていた名越遠江入道崇喜（篤時・法名元心）の、正和三年（一三一四）二月初八日の奥書を持つ『上古秘談抄』から始まり、応安（一三六六〜七四）になってこれを写した名越崇喜の門流である宇都宮三河入道が自ら選んだ「可然物《しかるべきもの》」や、「御鳥羽院御宇鍛冶結番次第」「上古七人鍛冶事」「平泰時被評定分十一人」「西明寺殿被評定分廿二人」、これに「追加西勝園寺殿評定分」と「城禅門追加分」を合わせての二〇人を加えたものが骨格となり、これに種々の追加がなされたものとなっている。これはのちの『秘談抄』五冊誕生の母胎ともいうべき性質の本であるといえる。

名越遠江入道が編集した『上古秘談抄』は、原本はもちろん、その内容を正確に伝える写本も、一般に知られる限りでは、この『元亀本刀剣目利書』以外には存在しない。『上古秘談抄』に、最上に物切るもので、御家人の宝とすべきものとして、幕府に注進された刀工名を「注進分（注進物）」として書き誌したのが正和二年（一三一三）正月十一日であり、『上古秘談抄』の奥書が書かれたのが翌年の正和三年二月であることから、同書の成立もこの奥書の書かれた時期であったことは確かと見られる。奥書には「正和三甲寅年二月初八日　書之　名越遠江入道崇喜　在判」とある。

この『上古秘談抄』を応安二年（一三六九）に写したのが、名越崇喜流の鑑定家で、一説に崇喜の門人ともいわれている宇都宮三河入道である。宇都宮三河入道は、応永（一三九四〜一四二七）ごろに刀剣鑑定では天下第一といわれた目利きで、刀剣鑑定の方法を初めて体系づけた人物といわれる。美濃の南宮大社の社家宇都宮二郎藤重の子で、通称を三河二郎、名を根重、入道して鉄道と名乗る。のちにこの『上古秘談抄』を底本として『秘談抄』五冊を著すが、この『秘談抄』は刀剣鑑定をようやく体系として捉えることができた記念すべき著作とされる。

さらに天正（一五七三～九三）に至って宇都宮三河入道の末裔である竹屋理安が『秘談抄』に手を加えて『新刊秘伝抄』として世に出したが、これによって世間一般にようやく近代的な刀剣鑑定が行われるようになり、この著は江戸末期に至るまでの長い期間にわたって鑑刀に強い影響を与えた。その原流である『上古秘談抄』は、いうなれば現代の刀剣鑑定の起源であるといっても過言ではない。

また、『上古秘談抄』に続いて、「可然物《しかるべきもの》」を載せている。この「可然物」とは、足利義満が宇都宮三河入道に「将軍が人に太刀を遣わす場合に、切れない太刀が遣わされれば、もらった人が困るであろうから、然る可き物（斬味の優れた太刀の作者）を選べ」と命じ、宇都宮三河入道が即座に備前・備中鍛冶のなかから、該当する鍛冶六〇名を選び出して作成した名簿の名称である。選ばれた六〇名はほぼ全員が備前・備中の刀匠で、備前・備中以外の鍛冶は中嶋来国長ただ一名だけである。一説では来国長はのちに備前に移住したともいわれるから、三河入道はこの来国長を備前鍛冶と考えていたのかもしれない。

「上古七人鍛冶事」は、文字通り上古の伝説的な鍛冶、友光（和州）・天国（和州）・文寿（奥州住唐人也）・神息（豊州宇佐宮、寺僧）・真守（伯耆国、大原）・実次（備中）・藤戸（是大宝年中云、或和州）という古代の鍛冶として当時有名であったと思われる七人の鍛冶名を挙げており、源氏の重宝「鬚切」を作ったと伝えている文寿を唐人也としていることなどは面白く、奥州鍛冶が備前に移住してきて、有正・正恒・恒次・真恒と続く一群の奥州系の鍛冶が古備前鍛冶の一角を占めていたことと思い合わせると、日本刀の成立に寄与した渡来人の力が想起される。

「平泰時被評定分也、以上十一人」は、安綱・宗近・包平・正恒・行平・助包・為吉・信房・高平・助平を挙げ、右肩に「一条院御宇作者」とあるように、永延（九八七〜八九）ごろの日本刀成立時と当時考えていた時代の作者について述べたもので、北条泰時が関与して作成した可能性が高い、名工に関する覚書である。泰時が活躍した一二〇〇年代の前半から、一条院在位時代（九八六〜一〇一一）はさほど離れておらず、しかもここに挙げている鍛冶の実年代はもう少し下げるのが妥当と思われるので、この覚書は日本刀が成立した初期の鍛冶に関する、最も古い文献資料ということができよう。

「西明寺殿被評定分」は、最明寺道崇すなわち北条時頼によって編輯されたもので、刀工数が豊後定秀以下二二名と大幅に増えており、刀工に付言する説明もまた若干ながら詳しくなってきている。『喜阿弥本』には同書が北条時頼から相伝されたものを底本にした旨の奥書があるため、時頼自身も刀剣の鑑識に長じていたようである。

追加分として、「西勝園寺殿被評定分」に備前三郎国宗以下の一五名と、「又追加或人之城禅門作云也」として五名を加え、以上二〇人としている。西勝園寺殿は、西勝園寺覚賢、北条貞時のことであり、城禅門は北条貞時の祖父であった安達泰盛のことで、泰盛は秋田城介のほうが通りがよいゆえか、晩年に入道して覚真と称してからは城禅門とも呼ばれた。

このころより以降の内容は、国別の鍛冶銘鑑や系図、あるいは主要刀工の作風や略歴などを誌しており、最後に「御物長之寸大方記焉」として将軍家の御物の寸尺を記して終わっている。これらの『元亀本刀剣目利書』の記述を底本とし、やがて『新刊秘伝抄』が編まれるわけであり、本書が近代的刀剣鑑定の教本の原典ともいうべき存在であるというのはこのためである。

『弘治銘鑑《こうじめいかがみ》』

「于時弘治三丁巳年（一五五七）卯月廿九日　芳運書之」と奥書のある銘鑑である。紙数がわずかに一七枚の写本で、内容を見ると南北朝中期までの鍛冶について述べているが、詳述しているのは宗近、包平、友成、安綱、行平などの平安期にかかる鍛冶や、陸奥国の舞草、諷誦などの当時畏敬の眼で見られた鍛冶たちで、正宗、貞宗や則重、兼光、義光などはごく簡単に名前を挙げている程度であることから、筆写した原本の成立は南北朝中期か、あるいは末期ごろであったと考えられる。

『校正古刀銘鑑《こうせいことうめいかん》』

著者は本阿弥長根。全四冊。刊記はないが、文政庚寅春（天保元年・一八三〇）の序文があるため、そのころに刊行されたものと思われる。

内容は、一・二巻と三巻の半分が国別の鍛冶銘鑑と系図で占められており、第三巻の後半と第四巻が、後鳥羽院帝御番鍛冶に始まる鑑定の部である。

記事の根幹をなしているのが、加賀本阿弥家が数代にわたって蓄積してきた資料であり、また長根が鑑刀四〇年の間に貯えてきた資料であったため、記事の内容はじつに正確であり、現代の目で見ても、だいたい信用してもよいだろうと思われる。またその内容ゆえに、当時の本阿弥家によって、みだりに本阿弥の秘伝を公にしたとされ、絶版・発禁の処分を受けた。しかしその処分にもかかわらず、長根が死没した翌年の弘化三年（一八四六）にはすでに『掌中古刀銘鑑』（内題『雲智明集』）として、体裁を三切本に改めて出版されている。

著者の本阿弥長根は明和四年（一七六七）光蘇の子として生まれ、幼名を三太郎、のちに六郎右衛門、次郎右衛門、三郎兵衛と改めており、本名を親平、のちに忠純、光恕と名乗る。「本阿弥光悦七世孫」を名乗っているように、本阿弥光二から光悦・光瑳・光甫・光山と続く光山系の本阿弥で、この系は代々加賀の前田家から扶持をうけていたので「加賀本阿弥家」とも呼ばれる。当時の本阿弥十一家のなかでは群を抜いた存在で、その添状や極め象嵌などは、現在でも権威を認められる。

また多才な人で、狂歌でも芍薬亭、三橋亭、鈍々亭などと号して有名であり、文政調の代表者として知られている。本阿弥喜三二としても知られている喜三二という名は、もともとは狂歌の名であり、当時狂歌界の重鎮であった佐竹藩士の初代朋誠堂喜三二から、その才能を見込まれて、二代として名を譲られたものともいわれる。

『古今鍛冶備考《ここんかじびこう》』

『古今鍛冶備考』は、幕府御様御用《おためしごよう》を承っていた山田浅右衛門吉睦が主著者で、その内容がすこぶる正確なことで知られている。

構成は七巻七冊で、第一巻は雑録と水心子正秀の「鋳錬鍛控略弁」、鎌田魚妙の「九峯先生遺稿摂抄」に、山田吉睦による「截断柄之図　附同仕懸之図」「鎗様柄之図　附同仕懸之図」「稽古土壇之図」等、様《ためし》についての記述が続き、それに薩摩、大隅、日向三国の鍛冶系図と「元暦以前鍛冶銘寄之部」で終わっており、第二巻から第四巻までが、いろは別の「元暦以来銘寄之部」で、第五巻から最終巻の第七巻までが、街道、国別の茎押形である。

体裁は縦二七センチ、横一八・二センチの和綴本で、用紙は美濃判の石州紙を二つ折にした半截で一丁としており、表紙は水色布目型押付の縮紙で各冊ごとに題箋を付している。

内容は、まず雑録が「鉄山略弁」と題した製鉄に関する記述で、鉄の原料として山砂・海砂・川砂の三種があり、砂の色にも三品あって「出始めの砂の色は黒く、盛に出る色は浅黄な梨、終りに至りし色は紫を帯ぶ」としているのも面白く、また「鉄を吹く法は、古今又国所によりても異同あり、中古天文の頃よりおこる播州宍粟郡千草の鉄山におゐて白鋼を吹く法を刪略してここに録す」として、千草における「たたら」の概要を誌しているのも当時としては珍しく、さらに石州出羽の鉄山における製鋼方法と千草の方法の違いを述べているのも貴重な資料といえる。

また当時いろいろと俗称されていた鋼の名称を二三挙げているが、出羽鋼（邑知鋼ともいう）、千草鋼（宍粟鋼ともいう）、印可鋼（伯耆鋼ともいう）、水折鋼、延鋼、山延鋼、鍛鋼、頃物鋼、撰鋼、小間鋼、地小間鋼、目白鋼、作子鋼で、現在では全く忘れ去られた名称もあり興味深い。「鋳錬鍛挫略弁」は水心子正秀が、刀剣鍛錬の実際について述べており、前述の「鉄山略弁」と併せて読むと面白い。「九峯先生遺稿摂抄」は編者柘植方理の師であった鎌田魚妙の遺稿で、研磨と地鉄について述べている。

山田浅右衛門家の家業であった刀剣の様《ためし》については「截断柄之図」「鎗様柄之図」「稽古土壇之図」「堅物様方之図」をそれぞれ絵図入りで解説しているが、この部分は他の刀剣書には全く見られない、『古今鍛冶備考』の独壇場といえる。

続く鍛冶系図は、薩摩・大隅・日向三ヵ国の鍛冶系図を掲げるが、これは鍛冶備考の出版にあたって、山田家から全国の有力鍛冶ならびにその子孫に系図についての問い合わせをした際に送付されたものであり、本書の凡例によると、返事をもらったのがわずか数家にすぎなかったので、この系図以外の資料は銘寄の参考に供したとしている。なお、この系図では冒頭に薩摩藩の家村仲右衛門住堅と川南門治盛行の両名が校訂にあたったことを明らかにしているが、著者ならびに編集者のこのような慎重な態度が、銘寄やこれに続く茎押形の正確さにつながっているのであろう。

銘鑑は「元暦以前鍛冶銘寄之部」と「元暦以来鍛冶銘寄之部」に分けて、前者は第一巻々末の七丁に三二〇工を収め、後者は第一巻から第四巻までに、いろは別に整理して三千五百余工を載せているが、それまでの銘鑑には類を見ない内容の正確さは高い評価を受けており、刀剣業者のなかには、この銘鑑部分を三切本にして文政八年(一八二五)に山田家から出した『古今鍛冶備考見出』を懐中にして市場廻りをしている人がいたほどであるという。寛政九年(一七九七)刊の『懐宝剣尺』が「此余ノ刀匠業ノ勝劣ハ古今鍛冶備考ニ具サニ載之」としている『古今鍛冶備考』は、この銘鑑を指しているのであろうと思われ、現在の『古今鍛冶備考』が成立する主体となったのが、銘鑑部分と、次の山田押形でなかったかと推測される。

第五巻から最後の第七巻までが茎押形で、特に応永(一三九四〜一四二七)以降の鍛冶が充実しており、これを街道、国別に分けて、系統ごとにとりまとめている。押形の技法は当時ようやく行われるようになった墨拓で、水拓による鮮明な押形は鑢目から鑽癖まで余すところなく写し取っており、押形を見ただけで銘の真偽が知られる立派な押形である。

江戸期に出版された数多い刀剣書のなかでも、内容が的確であるという点で本阿弥長根の『校正古刀銘鑑』と双璧をなしており、今日まで刀剣界に多大な貢献をしてきた名著であるため、版も何版か重ねているが、刊記のあるものとないものとがあって、刊記のあるものは文政十三年(一八三〇)版と天保六年(一八三五)版の二版のみである。

『古今鍛冶備考』の出版の時期については、水心子正秀が二月十五日(年不明)付櫻井庄蔵宛の手紙の中で「鍛冶備考未《ダ》二出来不レ申候　出来次第相可《ク》二申《シ》上《グ》一候　弁疑三冊是ハ相調《ヘ》上《ゲ》レ申《シ》候間　御落手被レ下《サ》度候」としているのを見ると、『刀剣弁疑』より少し後の出版であったことが明らかである。したがって、『古今鍛冶備考』の初版は『刀剣弁疑』の初版が出版された文化十三年四月か、二版が出された文化十四年(一八一七)

十月からあまり離れない時期に出版されたと考えてもよいかと思われる。

初版は全七冊で、刊記はないが脚注に「亀峰館蔵」とあって、これは山田家の蔵版であることを示している。この刊記のない版には二様がある。表紙の見返しに「古今鍛冶備考」とあって、これに二重匡劃を施し、さらに星雲に東壁の文字のある大形の朱丸印と、「山田先生著」の長角印、「全部」「七冊」の陰陽刻朱角印二つを捺したものと、印を捺さない無印のものとがある。二版の文政十三年版でもこの印を捺していることから、印のないほうが古いと見るのが妥当であろうと思われる。

二版は文政十三庚寅八月に京都の勝村治右衛門、大坂の秋田屋太右衛門、江戸の須原屋茂兵衛、須原屋善五郎、前川六左衛門の五軒の書肆が共同して出版にあたっており、体裁は私家版と全く同じで、版木も山田家のものをそのまま使用しており、脚注の亀峰館蔵の文字も削られていないが、刊記があって版元や出版年月がはっきりしている。また内容も、初版は最終の七冊目が六七丁までであったが、二版はこれに新たに文政十三年までの押形を加えて七六丁になっている。

刊記のないものは、山田浅右衛門家の私家版と思われる版と、安政ごろに出版された第三版である大坂の前川文栄堂版がある。また明治に入ると、明治三十三年（一九〇〇）十月に中央刀剣会から活版の複刻版が二版出されており、大正になって東京神田の松山堂から旧版の磨滅した箇所を補刻した松山堂版が出されている。

初版がいつごろ出版されたのか、刊行の年記がないので明らかではないが、著者の山田浅右衛門吉睦が文政六年（一八二三）に五十七歳で没しているのと、山田浅右衛門古睦が編集にたずさわった寛政九年

（一七九七）刊の『懐宝剣尺』に載せている刀匠の業の勝劣についての項で、すでに「此余ノ刀匠業ノ勝劣ハ古今鍛冶備考ニ具サニ載之」としていることや、『古今鍛冶備考』の抄本ともいうべき『古今鍛冶備考見出』と題する銘鑑が山田浅右衛門家から文政八年（一八二五）に出されていることなどから推しても、『古今鍛冶備考』の初版が山田浅右衛門吉睦没後の文政十三年（一八三〇）版であったとは考えられない。初版は浅右衛門吉睦の生前にすでに出版されていたと考えるのが妥当であろう。

『古今鍛冶備考』の著者については、巻之一の巻首にはっきりと山田吉睦著とあることから、一般的に山田家の五代目浅右衛門吉睦の著とされているが、真の著者を鎌田魚妙の門人柘植方理とする異説がある。水心子正秀は江戸の銀座、大黒長左衛門常隣に宛てた手紙のなかで「水野大和守様（肥前唐津藩主）御家老にて柘植平助殿と被申御仁にて、鍛冶備考と申銘尽七巻出来申候、是は山田浅右衛門と申者の名前にて蔵版に御座候」と述べている（『刀剣と歴史』七十六号）。

しかし『古今鍛冶備考』の内容を検討すると、「鋳錬鍛挫略弁」は水心子正秀の著述であるし、「九峯先生遺稿撮抄」は、柘植方理の師であった鎌田魚妙の遺稿であることから方理の著とは考えられず、「截断柄之図附同仕懸之図」に始まる様に関する分野は浅右衛門家の専門分野である。銘寄せも浅右衛門吉睦が自ら編集整理をした稿本の一部が『含咲集』と名付けられて静嘉堂文庫に現存しており、押形も山田家の所蔵押形を主体にして、水心子その他の人々にも協力を求めて集めたものであることは、国会図書館所蔵の『山田押形』や水心子の手紙によって明らかであることから、柘植平助方理自身の著作である可能性があるのは、わずかに凡例と雑録だけといえる。この本は山田浅右衛門家の一門である須藤五太夫睦済や小松原甚兵衛良正や、養子の吉隆や吉貞、吉昌が吉睦を助けて集めた資料を、当時第一級の目利者として知られていた柘植方理の協力を得て同書の編集をしてもらったのが実情であろうと思われる。

主著者の山田浅右衛門吉陸は、山田浅右衛門家の外戚にあたる奥州湯長谷藩士三輪源八の次男として生まれて文三郎といい、のち源五郎と改めている。天明七年（一七八七）三月、幕府の御様御用《おためし》を勤めていた、山野勘十郎門下の試刀家として有名な初代山田浅右衛門貞武から数えて四代目の山田浅右衛門吉寛の死後養子となり、寛政六年（一七九四）ごろに浅右衛門を襲名して山田浅右衛門吉睦となっている。試刀家としての腕前は、四代吉寛の門人で名人と讃えられた予州今治藩士須藤五太夫睦済に就いて修行して、初祖貞武以来の達人といわれる。また鑑刀のほうも、現存する吉睦自身が誌したメモなどから熱心な勉強家であったことが知られる。文政六年（一八二三）二月九日没。五十七歳。

最後に『古今鍛冶備考』を総括すると、『古今鍛冶備考』は主著者の山田浅右衛門吉睦が山田家の底本とすべく心掛け、年月を費やして収集してきた資料を基にして作成した銘鑑と押形を主体に、柘植方理と水心子正秀の協力を得て完成した本であり、完成に至るまでの準備に年月をかけ、おそらく天明（一七八一〜八九）ごろから文政に至るまでの期間を準備と編集、改訂に費やしていたものと思われる。山田浅右衛門吉陸にとっては畢生《ひっせい》の大著であり、情報量の豊富な現代においてもなお命脈を保っている本書は、江戸期を代表する著作の一つとしてもっと高く評価されるべきであろう。

『古今鍛冶銘《ここんかじめい》』

奥書に「于時天文十四年乙巳卯月五日□□（丸印）本阿（花押）」とあり、天文十四年（一五四五）の写本であることが分かるが、本阿（花押）の部分は後人の悪戯《いたずら》で、明らかな加筆である。剣掃文庫旧蔵本で現在は刀剣博物館の所蔵となっている。内容は『宇都宮銘尽』に南北朝頃の剣書の内容を加えて、一本としてまとめたもののようである。文中に、この本は簗刑部左衛門が円阿から授けられた直説で、これは宇都宮三河入道から順阿、幸阿、重阿と続いたものであるとして、鑑刀の伝系を記していることから、『簗刑部左衛門伝書』とも呼ばれている。

内容に数種の原本の存在をうかがわせる箇所がいくつか見られるが、そもそもこの本の原本である『宇都宮銘尽』の根元を尋ねると、名越遠江入道の『秘談抄』に到達するのであるから、この伝書の底本となったいくつかの剣書も、それぞれに小異はあってもその起源はほぼ同じと考えてもよいであろう。

『古今銘尽《ここんめいづくし》』

初版は万治四年（一六六一）三月。出版元は京都室町の本屋小嶋市郎右衛門。『古今銘尽』は『銘尽秘伝抄』と同じように好評を博した刀剣書で、万治四年の初版から安永七年（一七七八）に至る一一七年間に六回も版を重ねており、しかもこの出版は貞享四年（一六八七）版からは美濃半紙版以外にも三切の横本を出していたものと思われ、異版も多い。さらに当時の美術書の集大成ともいうべき『万宝全書』に「古今鍛冶銘尽合類大全」（全三冊）として採録されているため、この部数も加えると、『古今銘尽』の総発行部数は当時の刀剣書発行部数の首位を占めていたであろうことは間違いがない。この本が江戸時代の刀剣界に与えた影響は大きく、『古今銘尽』が江戸時代を代表する刊本の一つであることは誰しもが認めるところである。

刊行された『古今銘尽』は、その内容から推して、原本が竹屋系の伝書であったことは間違いがなく、慶長十六年（一六一一）三月十二日付で竹屋系の鑑定家が門人に交付した伝書を万治になって刊行したのが、この『古今銘尽』であろうと考えられる。そのことは、第一巻の『系図秘談抄』巻末に「右秘談抄代々従《リ》二宇津宮三河入道一以来家続《ノ》外別無《ク》伝受《シ》古注今来諸国往還其《ノ》時代之鍛冶《ノ》聞《クコト》二口伝《ヲ》一如《シ》レ此《クノ》此《ク》系図記置也　三河入道以前者正宗国々廻明記也　慶長拾六亥三月十二日」とあるのを見ても明らかである。

この『秘談抄』というのは前にも述べたように、そもそもは正和三年（一三一四）二月八日の奥書がある名越遠江入道崇喜の『上古秘談抄』に発しており、この本を名越禅門の門流に連なる鑑定家で南北朝末期から応永にかけて古今の目利きといわれた宇津宮三河入道が、応安二年（一三九五）八月に筆写し、のちにこの『上古秘談抄』を底本として『秘談抄』五冊を著している。ここでいう『秘談抄』とは、この三河入道の著した『秘談抄』を指すものである。この『秘談抄』は、さらにのちの天正に至り門流の竹屋理安によって『新刊秘伝抄』に改められて続いてゆくが、たんに竹屋系・能阿弥系伝書の原典となった古典であるというだけでなく、この『秘談抄』が宇津宮三河入道により著されたことによって、室町以降にようやく系統的に体系づけられた刀剣鑑定方法が行われるようになった、記念碑ともいうべき歴史的な名著でもある。

しかし原本はもちろん、完全な写本さえも散逸してしまって、その所在を尋ねるすべもない現在では、後世の手が入って当初の面影は失われているであろうと思われるものの、『古今銘尽』によってその一端を知ることができることには価値がある。

第二巻は「番鍛冶」と「諸国一代鍛冶」「諸国同銘寄」「注進物」「可然物」「新作物」「諸鍛冶時代年数」などが主なものであるが、「番鍛冶」では通常の一月から十二月に至る十二人の鍛冶以外に、隠岐国番鍛冶として粟田口鍛冶から則国、景国、国綱の三人と、備前鍛冶から宗吉、延正、助則の三人の、合計六名の鍛冶を挙げている。『上古秘談抄』にはこの隠岐国番鍛冶の記載がなく、この部分は宇津宮三河入道以降に挿入されたものであることは明らかである。

「諸国一代鍛冶」は、「諸国一代鍛冶を記す」として、大和、備前、備中、美作の鍛冶およそ一七〇工の名を挙げ、さらにこれに洩れた鍛冶を一々国別に分けるのは煩雑なためか、「諸国一代鍛冶すくなきを一所に寄する」として二十数工を一緒に載せている。これらの鍛冶は大略応永ごろまでの鍛冶で、一代鍛冶とされている者も、厳密にいうと一代鍛冶だけではなく、備前守利のように「為利子二代同銘云々」の注を施した者などもある。

「諸国同銘次第不同大略書載」では同名の鍛冶名を寄せて、それぞれの国名や俗名、父子関係などの簡単な注を施しているが、これは当時の人にとってはじつに便利な記載であったと思われ、後世の銘鑑に代わる役割を果たしていたものと見られる。

「注進物」「可然物」「新作物」は、いずれも『上古秘談抄』の記載を踏襲したもので変わらない（内容については『元亀本刀剣目利書』の項を参照）。

これに続く諸国鍛冶の部は、位列によって上々から下上に至る四段階に分けており、上々工は天国・神息・天座に始まる一七工で、安綱・宗近・三池に並んで奥州舞草の行重を載せているのが現在と異なる。中之上工は河内国の秦包平・助包・正恒に始まる三一工で、ここにもやはり奥州の諷誦《ふじゅ》・世安の名が見えている。中工は二四工で、古備前高平・筑前国吉・来国行・千手院行信・包永・則重・吉房・助真・定利・長義などが主なものである。下上工は二三六工と俄然多くなっており、大和国友光・古備前吉包・助成・古青江恒次・貞次・次家・了戒・景光・兼光など、現在の規準からすれば上工間違いなしという鍛冶が多数加えられているのは、制作年代が新しいということも一つの理由であったと思われる。

これらの鍛冶の各項には、それぞれの鍛冶の年代、国名、居住地などを簡単に誌しており、年代の測定は慶長八年（一六〇三）から逆算して何年というふうになっているため、おそらくこの伝書を出した人が最初に脱稿したのが慶長八年ごろであったのではないかと考えられる。

三巻、四巻の二冊は目利書で、四巻の巻末に、

此《ノ》目利書代々之雖《モ》レ為《ルト》二秘書秘密書々一　依《リ》二御執心不《ルニ》レ浅《カラ》写《シ》進《ジ》候者也　妄《ニ》他見被レ成《ラ》間敷候

慶長拾六亥三月吉日万治四年辛巳三月吉日

室町鯉山町

とあり、この目利書もまた慶長十六年（一六一一）三月十二日の伝授書の一部であることが明らかだが、内容は竹屋系の『秘談抄』と大同小異であり、同系の『新刊秘伝抄』などに比べると、文言の順序を多少入れ替えたり省略したりしているが、内容は全く同じである。

参考のために、『古今銘尽』目利書の巻首天国の部分を、慶長十九年（一六一四）の七月から八月にかけて書かれた竹屋久七郎忠安の『秘談抄』上下二冊と対比してみると、以下の通りである。

『古今銘尽』では、

一、無上御物　天国　文武天皇御宇　大宝比　宇多住人　太刀の姿鍛板目いかにもこまやかなり、地色青くさへたり、そこのはだの心すさき（洲崎）に波のあらひのこしたる真砂のことくなる鍛少しも濁りなき地肌也。刃沸おなじ切先つゞまやかに焼つめたり、小乱刃の足焼入て尋常也、のたれ乱れも有。庵ふかし、太刀ほそく鎬ひろし、刃の色いかにも白く雪のことし

とある。最初の「太刀の姿」から、いきなり鍛板目となるのは唐突の感がして、文脈も通らないので、「太刀の姿」は最後の「太刀ほそく鎬ひろし」につながるのではないかと想像される。

しかし、これが竹屋久七郎の『秘談抄』になると、

文武天皇　大宝　上々御物　天国　大和宇多郡住人　太刀の姿はばきもとふんばりつよにして鎬広く庵深し、切先つづまやかに刃焼詰たり、惣刃細く、或小乱刃に足を焼入たり、のたれ乱刃もあり、いかにも沸多し、鍛板目なり、こまやかなり、地色青くさえて、底のはたの心洲崎に波の打よせたるを返る波のあらひ残したる真砂のことくなる鍛なり、少も濁なき地肌なり、刃色いかにも白く雪のことし、尋常なり、猶口伝有之

とあり、『古今銘尽』では意味が明らかでなかった箇所も、文脈がつながってはっきりする。

これは『新刊秘伝抄』でも同様であり、『古今銘尽』は、竹屋系の伝書を底本として出版するにあたり、一部で表現の手直しをしたり、文言を書き替えて出版したものであることが明らかである。

第五冊以降は押形の部であるが、五冊目だけは初めに「作物名次第」として刀身各部の名称を載せ、続いて「鑢之次第」「彫物之次第」で鑢目と彫物の名称を載せ、図示している。

そのあとは粟田口物に始まる刀身と茎の押形集となっているが、その構成からすると、この五冊目が独立した伝書、あるいは目利書に付随した押形本のいずれかであった可能性が強く、『古今銘尽』に所収するほかの部分とは異質の感がある。押形そのものの形式からいっても、五冊目の押形よりは六、七冊目に採録している押形のほうが古いのは一目瞭然で、同じ押形でも、この五冊目に載せている押形と、六、七冊目の押形では筆者が異なることは明白である。

押形の形式について付け加えておくと、刀の押形を採ることが始まったのは、まず茎の押形からであり、

上身の刃文を伴う押形が現れるのは室町でも末期に近い時期になってからではないかと思われ、第五巻に見るような押形の形が出てくるのは慶長に入ってからで、筆者にも竹屋系、本阿弥系の区別はない。

したがって、この五冊目だけが当時の最も新しい押形を加えたもので、六、七冊目は旧来の伝書の押形をそのまま借用したものと考えてよく、事実六、七冊目の「心形像銘形」は、その所載する押形のおよそ九割が『往昔抄』から抄出されたもので、新規の押形はわずかに一割ほどが追加されているにすぎず、それも『往昔抄』が成立した永正十三年（一五一六）以降、『古今銘尽』の底本となった伝書が発行された慶長十六年（一六一一）に至る間にわたって加えられたものではないかと見られる。

しかし、何はともあれ、この『古今銘尽』が当時としては破天荒な押形集であり、目利書であったことは間違いがなく、江戸時代に入って初めて、目利書と押形集が合体した画期的な刊本として出版された、刀剣書の歴史に残る名著といえる。本書が出版されるまで唯一の刊本であった『銘尽秘伝抄』は、本書の出版に刺激されて、寛文七年（一六六七）二月のうろこかたや版、続いて同年九月には松会版を出版しているが、このうちのうろこかたや版が文政四年（一八二一）に再版されたくらいで、刀剣刊本の主流は次第にこの『古今銘尽』に移りつつあったものと思われる。

『古今銘尽』を刊年順に紹介すると左記の通りである。初版は全七冊で、万治四年（一六六一）三月に京都室町鯉山町の書肆小島市郎右衛門が出版している。第二版は貞享四年（一六八七）三月版で、題名を『古今銘尽大全』に改め、巻末には代付の次第として有名鍛冶の代付を付録として加えている。第三版は全四冊の半紙判で、元禄十五年（一七〇二）正月に江戸日本橋通二丁目の本屋利倉屋喜兵衛から出された。第四版は全五冊で、版式も元禄版よりは若干だが大きくなって、享保二年（一七一七）孟春（正月）に京都五条橋詰の書肆田中庄兵衛（汲古堂）から出されている。第五版は第四版を出した田中汲古堂が安永四年（一七七五）正月に半紙判のものと三切横本との二種を出したといわれ、三切横本で安永四年未正月改正と刊記のあるものがある。三切横本は紙質、体裁から推して元禄前後の年代はあるだろうと思われ、三切横本の『古今銘尽』は貞享版から始まると見るのが正しいようである。第六版は安永七年（一七七八）正月に江戸の須原屋茂兵衛と京都の勝村次右衛門とで半紙判の四冊本を出しているが、その版式は元禄十五年版をそのまま再版したものである。

『古今銘尽』はこの出版を最後に、寛政四年に上梓された仰木伊織の『古刀銘尽大全』に刀剣書の主役の座を譲るようになっていく、ちょうどこの『古今銘尽』が出版されて『銘尽秘伝抄』の影が薄くなったように、世代交代が繰り返されたのである。

なお、『古今銘尽』が採録されている『万宝全書』は一三巻一三冊の横本で、元禄七年（一六九四）の初版に始まって、享保三年（一七一八）版、宝暦五年（一七五五）版、明和七年（一七七〇）版の都合四版がある。内容は一～三巻が「本朝画伝合類印尽」、四巻は「唐絵伝印合類宝鑑」、五巻は「和漢墨跡印尽」、六～七巻は「名物茶入」、八巻は「和漢諸道具古今知見鈔」、九巻は「和漢古今宝泉図鑑」、十～十二巻が『古今銘尽』を再編集した「古今銘尽合類大全」で、最後の十三巻が「後藤家彫物目利彩金鈔」と題する小道具の本となっている。書画骨董、古銭、刀剣、小道具と、ほとんどの美術品を網羅しているが、このなかに『古今銘尽』が加えられているということは、元禄当時の刀剣書のなかでは、この『古今銘尽』が一番信用されていたということであろうと思われる。

また、『古今銘尽』の初版が出された年月を慶長十六年（一六一一）三月とする説があり、古書店や有力図書館の目録などでも、たまに「古今銘尽　慶長十六年版　全何冊」となっているのを見ることがあるが、これは研究不足による間違いである。

たしかに『古今銘尽』は、慣れないと間違いかねない構成になっている。万治版全七冊の『古今銘尽』を例にとると、奥書に年紀のあるものは一巻、二巻、四巻、七巻の四冊があるが、このなかで万治四年の出版を明示した奥書は四巻と七巻の二冊だけで、あとの五冊は年紀がないか、あっても「慶長拾六亥三月十二日」で、終わっているため、もし意識して四巻と七巻を外し、その上に題簽を細工したり欠失させたりされると、初めて見る人が慶長十六年の刊行と信じることも十分にありうる。

さらにやっかいなのは、書名が『古今銘尽』と紛らわしい『本朝古今銘尽』という本があって、これが慶長十二年（一六〇七）と同十六年の二度にわたって刊行されているため、もし端本の『古今銘尽』を見て、奥書の年号を頼りに調べたなら、慶長十六年版の『本朝古今銘尽』と誤る可能性が非常に高くなる。

しかし実際に現品を見て比較すると『本朝古今銘尽』は類光悦本といわれている私家版の特製本であり、『古今銘尽』は一般に市販された流布本であるから、紙質や製本のすべてに大きな違いが見られ、紙の質だけをとってみても、私家版のほうは腰の強い丈夫で高価な紙を使っているので、一見して区別ができる。これらのことから、刀剣伝書で慶長十六年版を見たら、一応『古今銘尽』の離れ本と疑って、一度調べてみる心要がある。

これは万治版だけのことではなく、貞享四年版も、元禄十五年版も、享保二年版も同様である。とくに享保二年版は刊行年月日が、最終冊の五冊目にだけ「享保弐丁酉暦孟春　洛陽五条橋詰田中庄兵衛」とあって、あとの一、二、三冊はいずれも「慶長拾六亥二月十二日」で終わっているので、注意を要する。

問題の「慶長十六年亥二月十二日」という日付は、本来この本の出版とは全く無関係な日付であって、『古今銘尽』を出版するにあたって、たまたま底本として使用された刀剣伝書に記入されていた、師匠から門人に伝書が伝授された年月日なのである。つまり慶長十六年二月十二日に、ある師から門人に対して交付された秘伝書を原本として、万治四年二月に、この『古今銘尽』が刊行されたということにすぎないのである。

『古刀銘尽大全《ことうめいづくしたいぜん》』

江戸時代後期の寛政に出版されるやいなや、それまで剣書の主役であった「古今銘尽」にたちまちとって代わった本であり、初版が出た寛政四年（一七九二）から明治の補刻版を経て、昭和十九年（一九四四）に立命館出版部から富田正二氏が復刻版を出すまで、およそ一五〇年にわたって、まがりなりにも主要刀剣書としての地位を占めてきた息の長い本である。

『古刀銘尽大全』の内容を検討すると、『古今銘尽』の増補、改訂版といった性格が特に強く目立っている。二巻、三巻は「諸国鍛冶系図」で、これは『古今銘尽』巻一「系図秘談抄」を、街道、国別に整理して編集し直したものだが、系図のなかったものは新たに作成して追加し、系図のあったところは新たな鍛冶を加え、内容を一段と詳細なものにしている。しかし、その反面、確実な資料に基づかず、たんに同時代、同系統と思われる鍛冶を整理して、系図の中に無理やりくっつけたと思われる面もなきにしもあらずで、そのために系図そのものの信憑性を低下させていることは否めない。

四巻は「御番鍛冶」と「諸国同銘鍛冶寄」である。これは『古今銘尽』巻二の番鍛冶次第を増補し、諸国鍛冶名寄を模様替えして「諸国同銘鍛冶寄」とし、上々作、上作、中之上作、中之下作、下作の五段階に格付け分類したものである。さらに注進物、新作物などの必要性を否定してこれを削除し、新たに「古代名物之剣」を設けて、歴史上の名剣として小烏丸、薄緑、一期一振、面影など有名な太刀を四八口載せて、これに簡単な解説を加えてある。

五巻、六巻は、『古今銘尽』巻三、巻四の目利の部に少々手を加えたもので、九冊のなかではこの部分が一番『古今銘尽』の面影を強く残している。

七巻は「焼刃中心押形并彫」とあるように、茎だけでなく、刃文や彫も含めた押形で、八巻、九巻が茎だけの押形であるのに比べて見ごたえがあり、内容は『古今銘尽』巻五を基にして、これに新しい押形を加えたものである。『古今銘尽』の押形を流用したものはおよそ六割ほどであるが、これらの押形は刃文の描き方が古風であり、新規の押形とは手法がまるで違っているので、この両者を比べると、二〇〇年近くの間における押形技術の進歩が一目瞭然となる。

八巻、九巻は茎押形で、『古今銘尽』巻六、巻七の「心形像押形」を基にして新たに押形を加えるとともに、鍛冶の配列を街道別に改めて探しやすくし、第八巻を東国之部、第九巻を西国之部に分けている。八巻の巻頭にある「彫物」の部分は、『古今銘尽』巻五にある「彫物次第」をここに移したものだが、内容は全くといっていいほどに変わっていない。

『古刀銘尽大全』の初版が出されたのは、刊記にある通り寛政四年の正月であったと思われ、江戸本町一町目の田中汲古斎が出版元になっているが、これはあくまでも九冊本についてのことである。世間では、『古刀銘尽大全』は初版以来九巻九冊で完本と考えており、岩波の『図書総目録』もそれ以外の版を載せていないが、それ以外にもこの九冊本の先駆をなす本があって、異版を二つ指摘しておきたい。その異版はいずれも剣掃文庫旧蔵本で、現在は刀剣博物館の所蔵となっている。そのうちの一つは一冊本であり、じつに贅沢な本で、用紙はすべて輸入品である唐紙を使用しており、本の装幀も中国式の唐本装となっているため、これが市販本であったかどうかは疑問がもたれる。あるいは献上本の類であるのかもしれない。

一冊本の内容は、「古刀銘尽大全」九冊本のうちの押形部分、七・八・九巻の三冊を、それぞれ巻之上、巻之中、巻之下と名付けて三巻一冊としたもので、九冊本に比べると押形に施した注なども簡略で、また校正が不備なところがあり、九冊本とこの本を比べて見ると、内容的にいって未完という感じが拭い切れず、この三巻一冊本は九冊本の先駆本であったと考えられる。

またこの本は九冊本から七・八・九巻のみを抄出した本であり、九冊本の第一巻巻首にある著者仰木伊織の自序などは当然省略されている。巻末は九巻本と同じく吉川豊昌と坂上是村の後叙を載せている。刊記はないが、帙に貼ってある題簽に「日本寛政三年辛亥版　唐仰杜識（印）」と誌してあるので寛政三年（一七九一）版とされている。坂上是村の後叙には「寛政辛亥冬十一月」となっていることから、この一冊本が寛政三年十一月から翌四年一月にかけての間に出版されたことは明らかで、後叙など新たに彫ったり、刷ったりする時間を考慮すると、寛政三年版と断定はできないが、常識的にいって、寛政三年の歳末ごろの出版と考えるのが妥当であろう。

もう一つの異版は三冊本で、この本には九冊本と同じ寛政四年（一七九二）正月の刊記がある。内容を検討すると、九冊本とほとんど変わらず、この本が本来は九冊に分冊すべきものを便宜上三冊に分冊したものであることが明らかである。したがって、冊数を九冊にできるようにしてあり、各冊ごとに表紙見返しに題簽を三枚ずつ刷り込んで、三冊で合計九枚の題簽が刷り込まれている。

九冊本に比べ、最も異なっているのは書名で、内表紙に「改正　古刀銘尽大全」とあったり、帙に使用すると思われる題簽に「寛政新刻　古刀銘尽　全部九巻」とあるのを見れば、書名が「古刀銘尽大全」で定着する前の刷りであることが明らかといえる。しかも一冊本よりは記事内容が一段と充実してきており、これが押形本のあとに刷られたものであることは明白である。したがって、この三冊本は一冊本の押形本ができてから九冊本が完成するまでの間に刷られた本であったと考えられる。おそらく九冊本としての原稿が脱稿してから、最初に一冊本の押形本が刷られ、続いて三冊本が、九冊本の試し刷り、あるいは校正刷りとして刷られたものと思われ、最後に九冊本が誕生したものと考えられることから、『古刀銘尽大全』の成立を知る上で、この二種の異版は大変に貴重な資料であるということができる。

『古刀銘尽大全』は九冊本として完成してからもたびたび版を重ねているが、刊記はいずれも「寛政四壬子歳正月」であり、初版と同じ刊記で版を重ねてきたものと思われる。そのために明治に近くなってからも、寛政四年版のままの版木から刷ったものであったとみえて、紙質も表紙も新しいものを見ることがある。また『古刀銘尽大全』は長期にわたって数多く出た本であるため、版木そのものもいくつかあったことは間違いないところで、同じように見えてもどこか微妙に異なる版を見ることがあり、その違いは一概に版木の摩滅のためとのみいい切れないものがある。

寛政四年以外の刊記のあるものでは、天保九年（一八三八）十二月版と嘉永四年（一八五一）版があるが、天保九年版は発行元が大阪の河内屋喜兵衛、江戸の丁子屋平兵衛、京都の大文字屋得五郎の三名である。明治に入ると大阪の前川善兵衛が版木の磨滅が激しい箇所を新刻して補い、前川文栄堂版として出したものがあって、刊記に「寛政四年壬子正月出版、明治廿九年八月補刻」としており、この版木はのちに東京の松山堂が買い取って松山堂版として出している。また田中汲古堂とともに『古刀銘尽大全』の売捌所として長く名を連ねてきた京都の勝村治右衛門が、幕末になって汲古堂の版木を買い取ったとみえて、やや時代が降るかと思われる寛政四年版の奥付に、売捌所として連記した勝村治右衛門の名の下に「版」の字を入れて、版権所有を明示しているものもある。

このように各種の版木が入り乱れて出版され続けてきた『古刀銘尽大全』であるが、昭和に入るとさすがに木版本は出版されなくなり、昭和十九年（一九四四）九月に立命館の富田正二氏が本阿弥喜三二旧蔵本の写真版を洋紙で三冊にまとめて復刻発刊しており、さらに十二月にもう一版出したのを最後に、『古刀銘尽大全』の出版は一応終了している。

『古今銘尽』に代わって『古刀銘尽大全』が生まれた背景を推理すると、『銘尽秘伝抄』に代わって刀剣書の主流を占めるに至った『古今銘尽』は、万治に発刊されてから寛文、延宝、天和と引き続き好調に発売されており、元禄ごろに至って頂点に達するが、その後も引き続いて享保版、安永版と版を重ねている。しかし初版を出してから五〇年も経過すると、いかに名著であろうとも新規の需要を開拓するのは難しく、売り上げも頭打ちになってきて当然であったろうと考えられる。

そこで享保二年版から新たに『古今銘尽』の版元となっていた京都の田中汲古堂が、『古今銘尽』の増補改訂版として売り出すべく企画して、京都では知られた刀剣鑑定家であった仰木伊織に執筆を依頼したのが、この『古刀銘尽大全』であったものと見られる。その間の事情を正直に反映しているのが、九冊本の試し刷りであろうと思われる三冊本であり、この本の題簽には『古刀銘尽』と外題がある。

これは大ベストセラー『古今銘尽』とたった一字違いの書名であり、『古今銘尽』を念頭において名付けられた書名であったことが明らかである。しからば、なぜ素直に「増補古今銘尽」とでも名付けなかったのかというと、寛政ごろに至って古刀・新刀という概念がようやく一般的なものとして確立してきたことにより、内容的にいって古今では具合が悪いということもあり、古刀と題したのであろうと思われる。

享保ごろにはまだ『新刃銘尽』と称しているように、新刀という語は、慶長以来の現代刀といった感覚であったが、この寛政ごろになると鎌田魚妙が『新刀弁疑』と題して出版しているように、古刀に対する新刀という概念がほぼ定着しており、用語としても新刀という言葉が盛んに使われるようになったものと考えられ、したがって書名もまた「古刀銘尽」でなければ時代感覚に合わなくなってきていたものと見られる。

およそ一五〇年の長きにわたって出版され続けてきた『古刀銘尽大全』であるから、江戸期から明治・大正の刀剣界に与えてきた影響はじつに大きなものがあり、戦前はどこの愛刀家の書架を見ても、必ずといってよいほどにこの『古刀銘尽大全』があったものである。この本は江戸期における刀剣研究の軌跡をたどる上で必要な、一連の基本図書のうちの一つである。

これだけ有名な本の著者であるから、仰木伊織という人の経歴その他が細大洩らさず知られていても当然なはずであるが、それが全く知られていないのは不思議といえる。人によっては佐賀藩有縁の武士であったといい、ある人は大垣藩士であったという。また祇園社の社人であったという説もあり、著者も、仰木伊織は京都に住んでいた武士であったことはほぼ間違いがないと考えるから、この説は注目に価する説である、と思っている。『古刀銘尽大全』の自序に「洛東　仰木伊織菅原弘邦（印）」と自署しているし、序文を書いている公卿や吉川豊昌はいずれも京都在住であること、出版元が京都であったことなどから推して、仰木伊織が京都在住の刀剣鑑定家であったことは間違いないものと思われ、田中汲古堂出版の『古今類字銘尽』に「此類字銘尽者鑑定家仰木氏所蔵云々」との識語の入ったものが現存している。

出版元の田中汲古斎は、住所は江戸日本橋となっているが、もともとが京都寺町五条上ルで営業していた本屋であり、相当に手広く刀剣書を扱っていたとみえて、『古刀銘尽大全』に刷り込んでいる「汲古堂蔵版目録」にも「古今銘尽　七巻、同大全懐本　三巻、銘尽秘伝書　一巻、類字銘尽　一巻、古今角力銘尽　一折、古今銘尽　九巻、古刀手鏡　一折、古刀即鑑　一折、古今名鍛冶角力　一折、同増補韻懐本　一折」など多くの刀剣書名を挙げていることから、仰木伊織は『古刀銘尽大全』以外にも一枚物の出版等で田中汲古堂に協力していたのではないかと思われる。少なくとも同じ京都人のよしみで、田中庄兵衛が旧来の『古今銘尽』に代わるべき新しい本として『古刀銘尽大全』の書き下ろしを仰木伊織に依頼したことは確かであろうと思われる。一説に仰木伊織を俳人であったという人がいるが、これは『古刀銘尽大全』巻之一の巻末余白に、

予多年芭蕉門の俳道にあそぶ　万民日用の制度にして極訾にあらず　つたなくも一書を除紙に記して

ふたつなき屋の道を　いささか好士に語らむとす

天の原　見れども

霞の中ぞあり

三居庵古音述

とあることから、この三居庵古音を仰木伊織同人と考え、伊織俳人説が出ているのであろうと思われるが、現状では同人とも別人とも断ずる資料は全く見当たらない。しかし巻の一の巻末余白にわざわざ他人の発句を挿入する必要は全くないのもまた事実であり、三居庵古音が仰木伊織の俳名であった可能性も相当に高いと考えてもよいのかもしれない。

『可然物《しかるべきもの》』

→『元亀本刀剣目利書』の項を参照。

『上古秘談抄《じょうこひだんしょう》』

→『元亀本刀剣目利書』の項を参照。

『新刊秘伝抄《しんかんひでんしょう》』

宇都宮三河入道の末裔で、尾張竹屋といわれている竹屋家の初代であろうと見られる竹屋惣左衛門理安によって天正七年(一五七九)に、宇都宮三河入道が著した『秘談抄』五冊を新たに編集し直し著されたものであり、竹屋家の伝書の集大成といえるものである。

この『新刊秘伝抄』は室町末期から江戸前期にかけての刀剣界に最も大きな潮流をつくり出す原動力となった画期的な本で、江戸期において刀剣鑑定の主流であった本阿弥家の鑑定の基本は、この竹屋家の秘伝の上に成り立っているといってもさしつかえがないだろうと思われる。したがって、その影響は非常に大きく、江戸期の刊本では最も初期のものである『口伝書』や、江戸期で最初のベストセラー『古今銘尽』などをはじめとして、江戸末期に至るまで専門家の間で珍重され転写されてきた『竹翁古刀銘鑑』など、多数の刊本、写本は、みなこの竹屋の系統に属する本である。

『新刀弁疑《しんとうべんぎ》』

安永六年(一七七七)初版。鎌田魚妙著。五冊本。新刀に関する著書としては、神田白龍子が著した享保六年(一七二一)の序文がある『新刃銘尽』六冊が嚆矢であり、これに続くものに享保二十年(一七三五)十一月に大坂の池田吉兵衛隆徳、田中九兵衛常富、中嶋清蔵泰徳、喜多川清兵衛頼久、神田四郎兵衛愛寿、中嶋惣兵衛寿福の六名によって出版された『新刃銘尽後集』六冊がある。その後およそ半世紀近くを経た安永六年になって鎌田魚妙によって出版されたのが『新刀弁疑』五冊本である。

『新刀弁疑』の内容は、まず第一冊が井上四明の序文で始まっているが、この序文を書いた井上四明は名を潜、字を仲竜と号した儒者で、当時江戸で高名な井上蘭台の門人で、のちに蘭台の養子となり、その跡を継いだほどの人で、岡山藩に抱えられていた。当時としては著名な学者であり、この序文を清書した東江源鱗も江戸で有名な書家であった。

この序文に続いて魚妙の自序があり、本文の第一は或問と題して、問いに答える形で、相剣、鍛煉略記、砥磨次第と続いて最後は諸系図で終わっている。この諸系図は著名刀匠の子孫から系図の写しを提供してもらい、あるいは魚妙自身が他の資料にあたって調査したものを載せているため、比較的に正確である。その記述によると、埋忠明寿の系図は安永六年(一七七七)六月の埋忠権左衛門良久自筆の埋忠系図によるものであり、肥前国忠吉系図は八冊本の第二種本から「天明八年(一七八八)忠吉、正広ヨリ来ル系図ヲ以改記」として、忠吉家の子孫から提供された賢料によって改訂したものであることを明らかにしている。

また七冊本からは、新たに「備前国長船横山氏系図」を加えている。続く二・三冊の位列は各刀工を上々作、上之上作、上之中作、上之下作、中之上作、中之中作、中之下作の七段階に分けているが、当時の刀工人気番付ともいうべきもので、助広、真改を第一に、続いて国広、忠吉、明寿、助直と続いている。肥後守輝広や越中守正俊などを助直のはるか下位に置いているのは、魚妙の好みというよりは、安永ごろが刃文の華美なものを好んだ時代であったことの反映であろうと思われる。

四・五・六冊は刃鑑と中心軌範と題して、各刀工を、畿内から東海道、北陸道、山陰道、南海道、西海道、国不知というふうに街道別に分けて、刃文と茎の押形に加えて刀工の略歴と簡単な作風について述べている。その内容は神田白龍子の時代に比べると数段階の飛躍を遂げていて、内容が実証的であり、近代的な新刀研究の扉はこの魚妙によって開かれたという感じがする。

七冊は享保ごろに幕府のお抱え研師であり、刀剣研究家としても高名で「江戸竹屋」と称されていた角野《すみの》寿見が編んだ、いろは別の新刀鍛冶銘鑑である。

八・九冊は追加で、諸国鍛冶の押形や作風、経歴などを追加掲載してある。

この『新刀弁疑』の著者鎌田魚妙は江戸後期の代表的な刀剣研究家であり、江戸時代の新刀研究に新機軸を出した人であるが、『新刀弁疑』はたんに魚妙の代表作というだけに止まらず、この著が出されたことによって、それまで新作刀ということで新身《あらみ》と称していた慶長以降に製作された刀を、改めて古刀に対する新刀《しんとう》という新しい用語で呼ぶようになり、この本以降この用語が定着することになった記念碑的な著作でもある。

江戸後期を代表する名著であるだけに、著者の魚妙がこの本の出版にあたって示した執念は全く大変なもので、見方によっては異様な感じすらするのだが、荒木一適斎甫秀はこの間の事情について、魚妙の熱意を「安永八年丁酉新刀弁疑五巻ヲ著ス所ニ刻成テ意トセザル事有リト云テ安永十己亥再新刀弁疑七巻附録一巻ヲ著シ先彫ノ誤リヲ除キ云々」と述べている。

荒木一適斎が魚妙は安永八年（一七七九）に五冊本を出版したとしているのは誤りで、じつは安永六年（一七七七）に五冊本を出版し、安永八年には七冊本、八冊本、九冊本と続けて出版している。出版年等についての一適斎の記憶に錯誤があったようである。また五冊本、七冊本には載せてあって、八冊本、九冊本に載せなかった押形を一適斎は「先彫ノ誤リヲ除キ」としているが、魚妙はこの時に削除した押形を天明七年（一七八七）に出した『新刀弁疑略』には載せているので、必ずしもこれらの刀を偽物と考えて削除したわけではないようである。

しかし魚妙が『新刀弁疑』の出版にあたって、経済性を無視してまで短期間のうちに次々と内容の増補・改訂を繰り返してゆくさまは、同時代に生きた荒木一適斎の目にもさぞかし異様に映ったであろうと思われ、そのことは『新刀弁惑録』の記述の中にもにじみ出ている。魚妙がこの著にかけた意気込みのほどは、五冊本から七冊本、八冊本へとたたみかけるように、ごく短期間に変転していることからも、現代の我々にもその執念のほどがひしひしと伝わってくる。

『新刀弁疑』は、著者の鎌田魚妙がその出版にあたって異様なほどの熱意を示した本であるだけに、いたるところに当時の出版物としては特異な点が目立つ。まず『新刀弁疑』は多くの版が出されているが、これが単に版を重ねただけでなく、それぞれの版が新たな出版物を出すような意気込みでつくられていることである。また幾度かの増補・改訂を繰り返しているが、それがじつに短期間に、しかも頻繁に行われていることである。最初に五冊本が出されてから、引き続いて七冊本、八冊本と続けざまに出版され、最後に九冊本となって定着しており、五冊本から九冊本になって定着するまでの期間は、序文や刊記からすると、安永六年から同八年に至るまでのわずか二年間しかないということになる。

当時の出版事情からすると、これだけ短期間に、これだけ多くの版が出揃うということは経済的な面からいっても少々疑わしく、おそらくは版を改訂・増補した場合にも奥付の刊記をそのままにして、発売書肆名などの必要事項のみを加除変更したものであろうと思われる。したがって、「安永八年己亥歳九月吉日」という刊記の七冊本があってもそれが最新版というわけではなく、実際には同じ日付の刊記を持つ改訂版の八冊本もあれば九冊本もあるというが実情であろう。

しかし、これらの事情を勘案してもなお、『新刀弁疑』における改訂・増補が短期間のうちに、しかも何回も何回も行われているのは、魚妙の熱意を示すもの以外の何ものでもなかろうと思われる。最初に出された五冊本は魚妙の私家版であり、刊記がないのではっきりと断言できないが、同書の序文に「安永六暦歳次丁酉仲穐、川越家士、鎌田三郎太夫藤原魚妙（印）」とあることや、荒木一適斎の『新刀弁惑録』にある「安永八年丁酉　新刀弁疑五巻ヲ著ス」の丁酉が安永六年にあたることから、同書にこれを安永八年丁酉としているのは安永六年の校正ミスであったと思われ、『新刀弁疑』五冊本が出版されたのは安永六年にはぼ間違いないものと見られる。

安永六年の五冊本に続いて七冊本の『新刀弁疑』が出されている。この七冊本は奥付に「鎌田三郎太夫著、安永八己亥歳九月吉日」の刊記があり、さらに「書肆　日本橋通三丁目　前川六左衛門、芝神明之前　山田屋三四郎、日本橋通三丁目　山田屋藤助」と三軒の発売書肆名が入っていることから、七冊本が市販された本であり、安永八年九月の出版であったことが明らかであるが、問題は七冊本と同じ刊記のある八冊本である。

この版が七冊本より一冊増えているのは新たに巻六之下を加えたからで、巻数は七冊本と同じで、巻六を上下に分けて従来の巻六を六之上、追加の巻を六之下としている。八冊本の内容を検討すると版が二種類あって、改訂の少ないほうが第一種本、改訂の多いほうが第二種本と呼ばれる。

『新刀弁疑』の各版を集めて研究された村上孝介氏は、八冊本の刊行は安永十年（天明元年・一七八一）であるとしていた。それというのも『新刀弁疑』の八冊本、九冊本には、いずれも「安永八年己亥歳九月吉日」と、七冊本と同じ刊記があるものの、その内容を見ると、八冊本にはすでに「安永九年二月日」の年紀が入った水心子正秀の押形を載せている。また七冊本では「出羽国霞城藤原正秀造之　真拾五枚甲伏鍛」と銘した刀が一口だけであることから、八冊本から安永九年二月日と銘した刀が加えられたということは、すなわち八冊本はこの刀が製作されてから後の出版であると考えてもよいわけで、九年の作があるから九年以降、おそらく十年ごろの出版か、あるいは書籍目録に安永十年刊として所載されていたかのいずれかと思われる。

鎌田魚妙の鍛刀の師といわれている神田住保則の場合にも、七冊本では「以宍粟剛鉄保則煉鍛」の押形を掲げて「安永六年より此の如く銘す」と注を施しており、八冊本、九冊本になると、押形を入れ換えて「於武州霞関辺保則造」と銘した押形に「安永八より此の如く銘す」と注を施していることから、『新刀弁疑』における資料の採集はじつにこまめで素早かったといってよく、したがって八冊本の出版も安永九年あるいは同十年ごろであったものと考えてもよいと思われる。

安永九年もしくは十年に出版されたと思われる『新刀弁疑』八冊本のあとをうけて、最後に決定版として編まれたのが『新刀弁疑』九冊本であり、現在市中に流布している『新刀弁疑』はほとんどがこの九冊本であると考えてもよいほどに、各版のなかで圧倒的な部数を誇っている。

九冊本は、七冊本に追加の一として八、追加二として九を加えて全九冊としたもので、新たに八冊目の巻頭に肥後藩士松村昌直から贈られた叙文を加え、さらに押形が八冊本よりは百余点増えて、内容は一段と充実している。九冊本の刊記もやはり八冊本と同じく「鎌田三郎太夫著　安永八己亥歳九月吉日」であるが、発売元の書肆名は八冊本と同じように京都が三条高倉東江入高井勘兵衛と新町通姉小路上町中江久四郎の両人で、江戸が日本橋通三丁目の前川六左衛門と芝神明之前山田三四郎、日本橋通三丁目山田屋藤助の三人になったものと、もう一つ、皇都書肆が前記の高井勘兵衛と新しく寺町通松原下町勝村治右衛門の二名になって中江久四郎の名が消え、新しく浪速書肆として中橋瓦町南江入扇屋利助が加わり、江府書舗は日本橋通三丁目の前川六左衛門は変わらず、新たに日本橋通一丁目の須原屋茂兵衛が加わり山田屋三四郎と山田屋藤助の二人の名が消えたものとがあり、同じ九冊本であってもいくつかの版があったことをうかがわせる。

この九冊本の実際の刊行年について、村上孝介氏は天明四年（一七八四）としているが、八冊本を出したのが天明元年（安永十年・一七八一）とすると、八冊本から三年を経て九冊本が出されたことになり、このあたりが妥当なところであろうと思われる。この九冊本は何回も何回も、繰り返し繰り返し刷ったものであろうと思われ、現代の愛刀家の書架に見る新刀に関する古剣書としては、まず第一に指を屈する基本図書の一つとなっている。

寛政七年（一七九六）十二月に著者の魚妙が亡くなってからの出版は、天保四年（一八三三）に大坂の書肆が中心になって求版本を出しているが、この求版本の奥付を見ると、江戸の書肆で名を連ねているのは須原屋茂兵衛ただ一人である。その他の書肆はすべて大坂によって占められているが、堺筋通淡路町角近江屋平蔵、心斎橋通博労町角伊丹屋善兵衛、唐物町南入河内屋仁助、北久宝寺町南入河内屋源七郎、備後町南入河内屋徳兵衛など、これまでとは顔ぶれががらりと一変しており、こうして『新刀弁疑』のはじめから求版本までの書肆名の変遷を眺めると、時代の流れが感じられる。

明治になると、藤井利八によって松山堂版が出されたが、長年にわたって使用された版木はさすがに磨滅が激しく、摩滅の著しい部分は新たに銅版で補っているため、この版だけは奥付を見なくても松山堂版とすぐに分かる。『新刀弁疑』は新刀研究の基本図書であり、ある意味では現在もなお現役であり続ける名著といえる。

『新刀弁惑録《しんとうべんわくろく》』

荒木一適斎甫秀著。寛政九年（一七九七）初版。『新刀弁惑録』と題してはいるが、内容を見ると決して新刀についてだけ誌した本ではなく、むしろ新刀に関する専門部分はわずかに「慶長以来之名作古作に比する問答」という項だけで、本書の大部分を占めるのは刀剣目利の一般的なことである。そのため題名も新刀にとらわれることなく、広く「刀剣弁惑録」と名付けたほうが、その内容を素直に表現することになるのではないかと思われるものである。

『新刀弁惑録』は美濃版で、用紙は石州紙を用いており、全三冊を上、中、下の三巻に分けている。内容は三冊ともに全文論説で、刀剣の押形を全く欠いているが、このゆえに発行部数も期待されたほどには伸びなかったのであろうと思われる。これは一適斎が凡例の中で述べているように、天明六年（一七八六）の洪水で押形をすべて亡失してしまったという気の毒な事情があったためである。一適斎は、

予が累年集むる所の数百刀の中心銘の押形へ一々作事の出来の好拙等を微細に誌して四部の書（『新刃銘尽』『新刃銘尽後集』『新刀弁疑』『新刀賞鑒余録』）の不足を補ひ、賞鑒に執心深き士の万が一の助けにもなさんと思う所に、天明丙午初秋関東の洪水に押形悉く流失したり、其中には記憶したる物もあれども、今是を誌さんと欲すれば十が一も及びがたし、然るに幸に魚妙が博識を以て三部の書に漏たる正銘の物を許多出せる故に其書に譲て流失の遺恨を解する者也

と無念やるかたない気持ちを吐露している。

新刀についての唯一の項である「慶長以来之名作古作に比する問答」では、慶長以来の新作でも勝れて上手な鍛冶がおり、なかでも堀川国広、肥前忠吉、武州繁慶、虎徹、井上真改の五作は古刀に比較すると、国広は来一門、忠吉は延寿、繁慶は左文字に、虎徹は作柄でなく斬味でいえば古関に、井上真改は相州正宗に、それぞれ匹敵する名工であるとほめている。さらに助直の傑作は高木貞宗に、中河内国助の丁子乱の傑作は二字国俊に迫るといってよいほど上手な鍛冶であり、津田助広、左陸奥、小林国輝、埋忠明寿、一竿子忠綱、大和守吉道、南紀重国、薩州正清、安代なども格別に勝れたる上手であると讃えている。ここに挙げられた鍛冶名を見ると、そのほとんどが鎌田魚妙の選んだ新刀二七人の名工に入っており、その順序なども大略一致していることから、当時の人々の新刀観というものに魚妙の及ぼした影響の大きさ、強さというものを改めて考えさせられる。

『新刀弁惑録』の内容について主なものを挙げると、上巻は、

一、慶長以来の名作古作に比する問答

一、応永、慶長の間の上手の評

一、上古中古の名作の論

一、剣工の元祖天国以前の問答

中巻は、

一、目利教訓詠歌五拾首

一、新刀贋銘見方数箇条
一、反をつけ伏せる次第
一、中心継見方
一、研の次第
一、鍛煉の弁論
一、今時の目利者評
一、刀を鍛るに二月八月を用る次第、弁研ぎに時節ある事
一、刀は天国の製作にあらず漢土より渡る次第
一、相州正宗に銘有は稀なる次第

下巻は、

一、『新刃銘尽』の評
一、『新刃銘尽続後集』の評
一、『新刀弁疑』の評
一、『新刀賞鑒余録」の評

などが主なものであるが、内容が面白く、当時の剣界の様子や考え方がよく分かるのと、現今でもなるほどと思われる役立つ記述もたくさんある。例えば、新刀の偽銘を鑑定する際に留意しなければならない点として、

銘の切り方

一、マクレの事

一、カタマクレの事

一、ユガミの事

一、無理鑚の事

一、足し鑚の事

一、スグミの事

一、三角鑚多き事

一、銘の文字違い、または大小等有りて見苦しき事

一、銘の切り所心附の事

一、筆勢筆力の口伝

茎の次第

一、ボチボチある事（沈金鋳）

一、角々スレの事

一、カワキ色の事

一、クサラカシの事

一、アカ附きの事

一、円釘穴内外弁フチ見方の事

一、鎺下心附けの事

などを挙げて、以上の点を十分に注意して見なければならぬとしているが、これは現代においても同様である。

また、天明六年の大洪水で流失した押形のなかで、思い出す珍しい出来として挙げているもののなかから何点か紹介すると、

○粟田口忠綱の大小に菊水刃を焼いた大和守吉道に見えるもの。

○虎徹では、のたれ広直刃で帽子の返りを虎の尾のように長く焼き返したもの。

○大小の身の銘を高彫にして裏銘に寛文六年午年八月吉日と切ったもの。

○中河内で藤の花の咲き乱れたような刃文を焼いたもの。

○丹後守直道で直刃の地鉄に日月星を一面に焼いて、皆焼のようになったもの。

○肥前忠国の大乱刃荒沸出来の大脇指で、地鉄に長く昇り竜降り竜を湯走りのように焼いたもの。

などが記憶の中にある珍しいもので、新刀四部の書にも載せていないものとして記している。

『新刀弁惑録』の初版は寛政九年（一七九七）三月に、江戸の須原屋伊八から出されている。表紙の見返しに「江都青藜閣」とあるのは、須原屋伊八が青藜閣と号していたことによる。その後、須原屋から大坂の前川文栄堂に版木が売られたものとみえて、刊年はないものの、文栄堂前川善兵衛版が出されている。明治になってからは、東京の松山堂に版が移り松山堂版が出された。松山堂版の奥付に「大正二年五月十日版

権譲受　大正二年十月一日訂正発行」となっているものがあるが、明治四十四年（一九一一）二月二十五日発行の『刀剣と歴史』には、すでに売価九拾銭、送料八銭で広告を載せていることから、明治の末に松山堂版が出ていたことは明らかである。いずれの版も出版部数はさほど多くなかったものとみえて、現存する冊数は比較的少ない。

著者の荒木甫秀は常陸国土浦藩士で、一適斎と号しており、当時刀剣の目利者として知られていた人物である。その経歴については、隣藩水戸藩出身の高瀬羽皐が『刀剣つねづね草』の中で、

通称は荒木丈八、名は甫秀。常陸土浦の城主土屋相模守の家士で、部屋住にて召出され奥詰近習番となり、宝暦二年（一七五二）御道具方となり、のち目附、町奉行となり、主人能登守篤直大坂城代となった時随行して三年在坂して、其のち江戸へ帰り、文化二年（一八〇五）三月、七十五歳で没した。この一適は少年の頃より刀を愛し、常に目利にならんことを心掛け、江戸へ出て川越藩の朝岡安親に就て木屋流の鑑定法を学び、遂に一家をなした。鎌田魚妙とは反対の鑑定家で、本阿弥家の説にはもとより随はず。とにかく一見識を持って世に立たる人なり、『新刀弁惑録』というものは此の一適の著述である。

と誌している。一適斎自身も自序の中で「朝岡安親翁木屋流の鑑識家世の業を継ぎ、もっとも高眼なることを聞き、其門に従遊すること十有余年云々」と誌しているが、経歴については高瀬羽皐の説明で要を尽

していよう。

『長享銘尽《ちょうきょうめいづくし》』

長享二年（一四八八）に著された『長享銘尽』と呼ばれるものは二種ある。第一種本は安田文庫旧蔵本（『安田本長享銘尽』）で、もとは永享二年（一四三〇）筆写の金剛峯楼一切瑜伽祇経の紙背に書かれた紙背文書だったのを、書誌学者の川瀬一馬氏が古書店で見出して、これを表裏二枚に分離させ、裏面の銘尽部分を『長享銘尽』と名付けて安田文庫に納めたもので、原本は太平洋戦争時の戦災で焼失したといわれているが、原本から接写した写真がいくつか残っており、国会図書館には昭和十五年（一九四〇）に麹池三吉氏によって原本に忠実に筆写された写本が残されている。第二種本は、剣掃文庫旧蔵本で、現在刀剣博物館の所蔵となっている『直江本長享銘尽』で、戦国大名上杉家の家宰として有名な直江兼続が嗣いだ越後与板城主直江家に伝来したことから、直江本の名で呼ばれている。

この二本は同じ年の成立であるが、その内容は全く異なっており、どちらかというと、直江本のほうが現実的で、具体的な作風についての記述が多いのに比べ、一方の安田本は鍛冶に関する伝承や逸話などに重点を置いていて、作風についての詳しい記述はあまり見られない。二本に共通するのは、いずれも相州伝の伝説が成立する前に編集された、生《う》ぶな状態を残した剣書であるということであり、その記述内容には正宗十哲説を示唆するような箇所は全く見られない。特に石州鍛冶の直綱などは両書ともにその名さえも載せておらず、この点が室町末期の剣書と比べて大きく異なるところといえる。詳細は『安田本長享銘尽』および『直江本長享銘尽』の項を参照。

『天文銘尽《てんぶんめいづくし》』

天文十二年（一五四三）八月五日の奥書がある『天文銘尽』は、内容はさほど詳しくないものの、他本にない文明・永正年紀のある刀の茎押形を載せており、転写本の多い当時の刀剣書のなかにあって独自のメモ代わりの本ということで注目される。

また巻末で太刀の作を地刃の色によって分け、一、上のやきはのいろしろく、一、中のやきはのいろあおくなど、刃色と地色のそれぞれに上中下の三段階を設けて分類しているのは、慶長の古活字版で、類光悦本といわれている『口伝書』の巻頭にある文句と全く同じであることから、この両者の間に幾分かの系統的な関連がある可能性が考えられる。

『伝本阿弥光二押形《でんほんあみこうじおしがた》』

一巻。注記に天正三年（一五七五）から同九年（一五八一）に至る間の年紀があり、この間に成立したものであることは明らかである。内容は全部で七七口を所載しており、そのなかに所蔵者名を記したものが若干あるが、所蔵者名のなかで圧倒的に多いのが「上様」であり、天正三〜九年の上様は織田信長を指すが、上様と記したもの以外にも、信長幕下の武将からの献上品と思われる注記のあるものや、注記がなくても他の記録と照合して明らかに信長への献上品と分かるもの、信長が好んだ光忠や守家などの、刃文の華やかな、いかにも信長好みと思われる名刀が多数見られることなどから、この押形は信長の蔵刀を主として、経眼するたびに採録したものであったと思われる。

備忘録といった性格の強い押形集であるためか、筆者名は記載がない。当時信長の蔵刀を自由に手に取ることができた者は、ごく限られた者達であり、信長の側近の士か、信長に奉仕していた刀職者のいずれかであったと思われる。また押形の注記を見ると、その内容が刀の特徴をいかにも適確に把握しており、刀剣鑑定の専門家でも相当以上の力量のある者の手になったことは明らかであるため、このような制約を考慮すると、当時信長の側近に侍した者たちの間からは、当然のことながら本阿弥光悦の父・光二あたりが筆者と推測される。

『本阿弥行状記』に「本阿弥光悦というものあり、父は次郎左衛門入道光二といい、母は妙秀と名付、光二は多賀豊後守高忠の二男片岡次太夫が子にて、本阿弥光心が養子なり、信長公御懇意の者にて毎日御前へ罷出ける」とあって、その後段に天正七年（一五七九）の荒木村重謀反の際の妙秀の逸話等を記しており、本阿弥光二が天正三年から同九年にかけて信長の身近に出仕して、刀剣の研磨や拵の製作にたずさわっていたことはまず間違いないと思われることから、この押形の著者は本阿弥光二と推測される。

もともと著者が古書肆から買い求め修復したものであり、修復前の裏打ち紙に押してある丸い墨印が、加賀本阿弥家伝来と伝えている写本に、延享年間（一七四四〜四八）の修理に際し押された契印と全く同一のものであることと、巻末に「光甫」の所蔵印があって、加賀本阿弥家の光甫蔵品であった可能性が高いことから、この押形集が加賀本阿弥家に伝来した押形のなかの一巻だったことは、ほぼ間違いないもの思われる。

天文・弘治（一五三二〜五八）ごろになると、刀の鑑定を学ぶ者が経眼した刀茎を写し取って資料として保存する押形集は、次第に広く行われるようになっており、本阿弥家で最も古い『本阿弥光心押形』には、巻末に「弘治弐年参月吉日、本阿弥光心（花押）」の識語がある。本阿弥家では、光心に続いて光瑳・光悦・光徳・光温と代々にその名を冠した押形本がある。押形集出現の初期のものは、自らの心憶えとして、自分が鑑定上の参考にするために、経眼した刀剣の記録として作成された、一種の備忘録としての性格が強い押形集であった。それが慶長に入ると、鑑定の伝書に添えて押形集を渡す者が現れてきており、木屋宗味・松尾観斎・長谷川忠右衛門などの著名な鑑定家の押形本が見られるようになるが、このような性格の押形集は、部数もある程度作成されるようになったので、茎形も定規を使ってきちんと描くようになって、体裁が整ってきている。

『刀剣古今銘尽《とうけんここんめいづくし》』

初期木活字による刀剣伝書のなかでは、最も美しい部類に属する本である。昭和四十九年（一九七四）一月の『弘文荘古版本目録』で、反町茂雄氏は本書を慶長年中（一五九六〜一六一五）の古活字版であるとして仮題したが、この本が出版されたのは、料紙や版式からしても、まず慶長ごろであることは間違いないと思われる。

通常『古今銘尽』というと、万治四年（一六六一）版以降の七冊本か、あるいは慶長十六年（一六一一）に出版された『本朝古今銘尽』という一冊本と二冊本がある木活字本の稀本かのいずれかを連想するのが普通だが、これら二種の『古今銘尽』のような刀剣鑑定の秘伝書ではなく、内容は、刀の茎押形の絵図を国別に編集したものである。天国に始まって、最後は雑国集で終わる全四一頁が全部茎絵図で、これに簡単な注釈を加えている。内容からいうと、慶長十九年（一六一四）に小幡夢芸道黒が出版した『諸銘尽』に近い本であるといえる。

反町氏は、本書を当時鑑定界の主流であった本阿弥の出版であったのであろうとしているが、あるいは本阿弥光悦の出版とも伝えている『本朝古今銘尽』に付属する茎絵図と考えたものかもしれない。料紙は雁皮紙を貼り合わせ、それに雲母を引いた美しい紙で、その美しさは嵯峨本の美しさに通じるものがある。形は大枡形に近い形であり、嵯峨本に見る通常の形とは若干異なっている。刷りは両面刷りで濃墨刷りが美しく、本の美しさという点では佳品の多い慶長・元和の古活字版のなかでも光って見える一本で、類嵯峨本とする見方も不当ではなかろうかと思われる。

『刀剣図考《とうけんずこう》』

『刀剣図考』は江戸末期の考証家、柳庵栗原孫之丞信充の数ある著作の中の一冊である。信充の『刀剣図考』は初編と二編から成っており、初編は天保十四年（一八四三）二月上旬に下谷御成道の英屋文蔵から発刊され、二編は同年下旬にやはり英屋から出版されている。

初編のオリジナルの題箋を見ると『刀剣図考・全』となっているので、はじめにこの本の出版を企画した時は、これを一冊にまとめる心算であったことは明らかである。これが二冊になった経過は二編のあとがきに、

さきに刀剣図考を刻して子弟謄写の労を省く。然に猶篋中に数箇の図あり。信充かつて手自親写する処にして、遺忘かくの如し。児信兆縮小して前書に幷せ、また塾中に刻す。自省み天下の広大なる。一人の眼に尽すべきにあらねば、仰願ば四方君子校補垂教を吝惜せらるるひとなくは幸甚と云

天保十四年九月

栗原信充識

とあるように、二月に出した『刀剣図考』に載せ残した手拓の押形を息子の信兆に縮写させて追加出版した

のがこの二編である。

内容は古来有名な刀剣を、外装を主にして、時には刀身も交じえて図示したもので、同種の本には伊勢貞丈の『刀剣図巻』や松平定信編輯の『集古十種・刀剣篇』などがある。初編に載せる刀剣は五九点、二編は五四点をそれぞれ載せているが、初編に所載するものの多くは『集古十種』あるいは伊勢貞丈の『刀剣図巻』あたりのいずれかに載っており、これらの本に所載しない、『刀剣図考』独自のものはわずかに「新田義貞卿刀図合口拵」と「箱根権現所蔵の長覆輪太刀」「栗花落左衛門所蔵太刀」「信充所蔵背負太刀」を数えるのみであることから、『刀剣図考』初編は『集古十種』や伊勢平蔵本の抄本にすぎないといわれても仕方のない面もある。

しかし、細部を検討すると、飛騨国国分寺所蔵の小烏丸太刀のように『集古十種』所載の図と比べてみると、信充のほうには『集古十種』に記載のない鞘口と柄頭の小口が図示されており、それぞれの寸法まで書き入れてあるところをみると、実際に現品にあたって記録したものと思われ、『集古十種』の引き写しだけではなかったことが明らかとなる。

『刀剣図考』二編の内容は図版に付言を加えたもので、図版は大和・摂津・山城など畿内の古社寺に伝来した古剣類や伊勢太神宮の御神宝を主にして、これに信充所蔵の小太刀や各地に散在する社寺の蔵刀を加え、さらに古記録から採った資料や室町期の有名武将の佩刀などを加えている。初編に比べて内容が格別に新鮮で、『刀剣図考』のなかで胸を張ってこれこそ信充のオリジナルといい切れるのは、この二編のほうである。刀剣界のなかで、伊勢貞丈の『刀剣図巻』や『集古十種・刀剣編』の欠を補うものとしてこの『刀剣図考』を高く評価する人があるのは、ひとえに『刀剣図考』にこの一編が含まれているゆえである。

図版のなかで注目されるものとしては、法隆寺七曜剣、摂津国四天王寺七星剣と丙子椒林剣や伊勢太神宮の玉纏《たままき》太刀、須加流《すがる》太刀、黒漆太刀などが挙げられるが、そのほかに大和古刹蔵として古剣を二口載せて「此二種剣聖武天皇御物と云は実に一千百余年上の宝剣と称すべし」と注を施している。おそらくこの剣は正倉院襲蔵のものを筆写したものと思われ、勅封の保管にはばかって正倉院の名を挙げなかったものと見られる。

図版に続く付言には四二頁を費やしている。内容は簡潔ながらレベルは高く、『軍防令』『延喜式』に始まり、和漢の刀剣について、寸尺、種別を論じ、刀を取り扱う礼式、作法や「御番鍛冶」「御物に成候太刀の銘」「注進物《ちゅうしんもの》」「可然物《しかるべきもの》」「新作物《しんさくもの》」などに選ばれた鍛冶を紹介している。

その他、各地で発掘された石刀、石剣、石棒などの考古資料に頁を割いているが、子持勾玉のような彫刻を施した石剣の頭などがあって面白く興味深い。最後に大徳年間（一二五七～一三〇七）に趙子昂が写したという九歌図、胡茄十八拍等の図中にある中国の剣とその外装をまとめて紹介している。江戸期の刀剣書で中国の刀剣をこれだけまとめて図示しているものは珍しく、今日でも参考になるものである。

この本が出版された天保十四年（一八四三）は信充の絶頂期で、この年の刊本だけで『鞍鐙図式』『鎧色図説』『甲冑図式』『甃工譜略』『武器袖鏡』『兵家紀聞』などがある。なお『刀剣図考』と題した本は栗原信充だけでなく、ほかにも伊勢貞丈が刀剣問答に付した図に「刀剣図考」と名づけたものや、青木久邦の著で、やはり『刀剣図考』と名付けたものなどがあるが、俗に袖珍本と呼ばれている、着物の袂に入れやすい三切の横本になった刊本は信充の『刀剣図考』だけである。『刀剣図考』は幕末の刀剣研究の足どりをたどる大事な刊本として記憶されるべき本であるが、版式が小さく、軽便を旨とした袖珍本であったため、これまで重要視されなかった。しかし、これからはだんだんと正しく評価されるようになってゆくものと期待したい。

『刀剣銘尽《とうけんめいづくし》』

『刀剣銘尽』は天文十二年(一五四三)の筆本で、著者の家蔵本である。題名は反町茂雄氏が仮に外題したもので、元来の題名を欠いていたのであろうと推測される。

大判の伝書で、もとは坊主綴であったものに表紙を付けて大和綴に改めており、紙数が二〇枚、墨付四十丁。内容は、どちらかというとメモ的な性格が強い本で、変則的ながら一応系統的な国別に分けた記述になっていて、鍛冶銘を列記するとともに作風を略述しており、一部に茎押形を加えた構成となっている。

詳しい内容は、巻首が「山城鍛冶」で、山城・大和両国の鍛冶について、この本の全員数の五分の一以上にあたる紙数の四枚半を費やして述べている。山城では来鍛冶・粟田口鍛冶、大和では千手院・保昌・尻懸・手掻が主で、そのほかに綾小路定利や大宮国盛なども加えてバランスがとれており、室町期の鍛冶も平安城長吉や天王寺長谷部の国重などを載せている。このなかで特に目立つのは、長谷部国重の正長元年紀で、天王寺長谷部にとって、この正長元年(一四二八)紀は製作の下限を示す貴重な年紀であり、銘鑑もこの年紀を採用している。

次が「備前国鍛冶」で、備前・備中両国の鍛冶について紙数もやはり四枚半と山城鍛冶に匹敵するスペースを割いており、備前では長船鍛冶の光忠・長光・兼光をはじめとして、古備前では友成・正恒・成高・遠近、一文字では則宗・助宗・宗吉・国宗を柱にして、畠田から小反に至るまでの鍛冶を網羅しているが、これに反し、備中では恒次・庚次・貞次などわずかに八人の名を挙げているにすぎない。このなかで注目されるのは、長船光忠の押形である。「文永八年（一二七一）十一月日」の製作年紀は、光忠の子と伝えている長光の作例に、高瀬長光に見る文永十一年（一二七四）紀があることと併せて考えると、光忠の製作年代のほぼ下限を示すものと考えてよく、貴重な押形といえる。

続く「相模国鍛冶」では、相州鍛冶と行平、左など九州筑前鍛冶について誌しているが、鎌倉鍛冶では、貞宗が正宗の弟子で、広光を正宗の子としており、現存刀の作風の変遷等から推察すると、その流れからいってこの説は納得でき、説得力がある。また鎌倉鍛冶の国広に観応三年（一三五二）の作ありとしているのは、新藤五派の国広に同時代に複数の存在があっただけでなく、代数もあったということを示唆している。

「相模国鍛冶」に続くのが「越中鍛冶」で、紙数も三枚半と山城、相模に次ぐ枚数であり、室町時代における越中鍛冶や越前鍛冶などの北陸鍛冶の評価が現代よりは格別に高かったことを物語っている。内容は江義弘・則重の古越中鍛冶と宇多鍛冶で、越中以外では延寿・波平など、相模の部で洩れた九州鍛冶と、美濃鍛冶、これに村正・義助など一部の東海道鍛冶を含めている。

最後は「越前鍛冶」で、越前・加賀両国の鍛冶に、二王、月山を含めて簡略に誌しており、そのあとが三条宗近をはじめとする諸国の鍛冶の追加分となっている。

巻末は作の上・中・下を焼刃と地色で区別して、

太刀のさく
一、上のやきはのいろしろく
一、中のやきはのいろあおく
一、下のやきはのいろくろし

とし、続いて、

一、中のぢいろくろし
一、下のぢいろしろく
いづれもかくのことく　よくよく　みやう大事也
于時天文拾弐年八月五日書之

とあって、筆者の氏名は墨で抹消されている。

『刀剣或問《とうけんわくもん》』

『刀剣或問』は肥後藩士・松村昌直の著で、寛政九年（一七九七）に全三冊を出版、文化十一年（一八一四）に付録と追加で一冊を加え、全四冊として再刊したといわれているが、寛政九年版は昌直の私家版ででもあったのか、よほど発行部数が少なかったとみえて著者も実見はしていない。

本書の成立が寛政九年であることは、巻首に著者・昌直の文武の師であり、刀剣の師でもあった同藩の斎藤高寿に序文を乞い、寛政九年七月の序文を載せていることによって明らかだが、再版の文化十一年版は、追加した四巻の巻末に文化十年二月十五日付の肥後藩士・中山昌礼公幹の跋文を付しており、全四冊となって、江戸浅草新寺町の堀野屋仁兵衛、和泉屋庄次郎、日本橋本石町四丁目の西村源六の三軒が版元となって出版している。

『刀剣或問』の内容は、はじめに恩師斎藤高寿の寛政九年秋九月の序文、続いて同年八月の肥後藩士・大城煥の序文があって、『刀剣或問』巻上が始まる。自ら問いを発してそれに答える形式になっており、問答の最初は自ら薩州正良・元平に就いて五郎正宗の伝を学んだ経過について述べる。

「相州ノ五郎正宗は古今独歩の名工なり（中略）余は講武の暇其遺法を学ぶ事既に数年なり、薩州伊正良及奥元平に問ひ、又数々東武に行て本阿弥某を師とし、鎌倉に行て綱広を師とし、正宗の遺法を受け、水心子正秀及び鎌田氏（魚妙）の輩に数相遇て此枝を講習討論し、頗る其理を究むる事を得たり云々」と誌しているように、家督前に薩摩に行って正良から薩摩相州伝の鍛法を学び、藩命によって寛政元年（一七八九）、文化十年（一八一三）、文化十五年（一八一八）の前後三度にわたって江戸在勤を命じられて、滞在中は本阿弥家や鎌田魚妙に就いて鑑定を学び、また水心子や手柄山との交遊を通じて作刀技術の交流などもしていたため、松村昌直の江戸での評判もなかなかのものであったようで、自ら或問のなかで「目利は幾ど《ほとん》風胡（中国古代の有名な鑑定家）の域に至り」と自讃している。

水心子との交流は、第一回目の寛政元年（一七八九）の江戸滞在の時に始まり、二人で一緒に鎌倉の山村宇兵衛を訪ねて入門しており、その時の門人帳が残されている。第二回目の文化十年（一八一三）の時のことは『刀剣或問』の追加に「文化癸酉（十年）の歳、余役を祗て東武に至り、水心子に相遇語するに、古刀の造法を以てす。遂に著す所の刀剣或問を示す。水心子看て嘆して曰、吾聞く舜は諸馮に生まれ負夏に遷り云々」と得意満面のさまがうかがわれる。

しかし内容は自慢だけでなく、地鉄から用語まで多岐にわたっており、実際に刀を造った経験と鑑定家としての実績の裏づけがあるだけに啓発されることの多い内容となっている。例えば、南蛮鉄については「或問世に賞美する大坂物其余多く南蛮鉄を以て鍛ひたる事世に知るところなり、書にも往々載せたり、銘にも南蛮鉄を以て鍛と彫りたるは其刀冶の栄なるか」に対しては「是大なる辱なり」として、中国の『武備志』でもいっているように、日本の剣は世界に冠たる良鉄で造っているのに、この良鉄に南蛮鉄を加えて金気を穢すのは大きな誤りであると喝破しているのは卓見というべきである。

刀剣の鑑定については、「本阿弥氏の家善いかな、本阿弥氏の目利室町氏の時より受継て其業を失なはず、天下の人皆此の家によりて刀剣の真偽を極め、人々是れを信ずること神明の如し云々」としながらも、「然らば本阿弥は古今刀剣の造法、鉄性も亦よく真知せるか」との問に対しては、「本阿弥氏は知らず、今造法と鉄性を知るは天下に鮮なからん、止む事を得すんば正良、水心子か輩ならん」と答え、刀剣の造り方や鉄性については、鑑定家でなく鍛冶のほうがよく知っていると主張している。

鍛冶の優劣についても「助広、真改及正清、安代は其作優劣何加」との問いに答えて「皆近世の良工なり、正清、安代優《まさ》れり、助広、真改劣れり」と、はっきり大坂鍛冶より薩摩鍛冶のほうが勝れていると主張しており、昌直が自らの習った相州伝の鍛冶こそが最上の鍛法であり、正宗こそが古今の名工であると固く信じていたさまがうかがわれる。この点において水心子正秀の意見と大きく異なっており、水心子の主張は、千本隆欽が正秀の意見を誌した『刀剣弁疑』のなかで、はっきりと「大乱、大のたれ、広直刃、皆焼等、惣じて大出来なる物は、打合て折れ、落馬して折れ、或は転びて折れ、試して折れたる事、予の聞たるばかりも少からず云々」として大模様の刃文を酷評しており、両人の意見の対立がはっきりしている。

その他、鍛冶として実際に刀剣を造った経験から、地肌や、沸、匂、あるいは茎の反りや、太刀と刀の目貫孔の位置の違う理由など、刀剣全般にわたって意見を述べているが、なかには映りについての説明など釈然としない箇所も見られる。当時の刀剣常識というものがいかなるものであったかを知るには、またとない好資料の一つであろう。この刀剣問答を読むと昌直の意見は、刀鍛冶としての実技と鑑定の目利きとしての経験が調和した意見であり、じつに興味深いものがあるが、やはり根底にあるのは薩摩相州伝を最高のものとする見地からの意見であることは否定できない。

最後の付録は、薩州正清、一平安代、津田助広、井上真改、大与五国重、堀川国広をはじめとする有名鍛冶の短評と、昌直と鎌田魚妙との関係、鑑定の要諦について論じ、さらに諸名士より昌直に贈られた文章を紹介して終わっている。

著者の松村昌直については、『古今鍛冶備考』に「昌直、東肥松村昌直造と打、薩州正良門と成、後東武へ来り水心子正秀、或は相州鎌倉住十代目綱広等によって造法を談し、其術を得たり、天明、文化頃」とあるように、幕末の武家目利として同藩の沼田直宗とともに有名な人であった。

昌直は明和二年（一七六五）十二月二十二日に、熊本藩士松村佐左衛門の子として生まれ、長じて英記と名乗っており（『古今鍛冶備考』の永記は誤り）、字は仲廉、号を大観と称し、寛政五年（一七九三）十月、二十九歳で家督を相続して御番方に任ぜられ禄二百石を給されている。その後八代郡代、御勘定所御見付、御使番、作事頭等を歴任して、天保二年（一八三一）には五十石の加増をうけ二百五十石の知行になっており、天保五年（一八三四）十一月十三日、七十歳で没している。

昌直がこの道で大を成すようになったのは、幼少より刀剣を好んだからであるのはもちろんであるが、よき師として斎藤高寿に恵まれたことと、藩主・細川越中守重賢の意向で細川藩が武備の充実と士気の振興を図っていたことも幸いしており、このことが昌直が侍鍛冶として刀剣の製作に、あるいは鑑定に、精力を注ぐことができたことにつながっていたと思われる。

昌直は師の斎藤高寿が薩州正良門人であった関係上、家督前に薩摩に行き、正良に入門して師事していたようで、このことが、後に水心子と交遊が生じてからも、自らに鍛冶としての技術の裏づけがあるために頑として自分の意見を曲げない背骨となっていたのであろうと思われる。刀剣問答を読んでも、水心子と昌直の意見の違いが随所に見られる。

『刀工秋広口伝《とうこうあきひろくでん》』

刀の押形を主にした本では最古の著作とされている本で、『刀工秋広口伝』と仮題し、あるいは『日利書国々図入』『金物目術書』『刀剣目術書』といろいろに題する場合があるが、室町末期から江戸初期にかけての伝書で、茎と刀身の押形を主にして一頁に一工ずつ、簡単にその特徴を記した伝書は、すべて祖本を同じくする同系統の伝書である。

安来の和鋼博物館に四部あり、

一、『日利書国々図入』嘉吉元年（一四四一）八月十五日写之の書入れがある。全一冊

二、『日利書国々図入』慶長元年（一五九六）逆算年号入り。全二冊

三、『作見様図入日利書』慶長十二年（一六〇七）卯月廿八日福田与兵衛尉久吉（花押）全二冊

四、『光家伝書』慶長拾六（一六一一）仲夏吉日　光家（印）全二冊

また著者も次の二冊を所蔵している。

五、『刀工秋広口伝』天正元年（一五七三）逆算年号入　合一冊
六、『名刀考』文禄・慶長ごろの古写本　全一冊
その他刀剣博物館に『金物目術書』、名古屋の蓬左文庫に『刀利目術書』が、それぞれ一冊ずつ所蔵されている。
七、『金物目術書』文禄二年（一五九三）五月廿日佐柄木孫太郎筆　全一冊
八、『刀剣目術書』慶長八年（一六〇三）五月吉日佐柄木入道光煥（花押）

このように書名だけで七種類もあり、筆写の年代もまちまちであるが、ほとんどが天正から慶長にかけての伝書であることから、本書の成立は天正逆算年号入伝書や和鋼博物館の慶長十六年『光家伝書』の奥書にある通り、三好下野入道の門下にあたる人々によって編集された可能性が高く、「刀工秋広の口伝」というのも『古今銘尽』における「正宗廻国記」と同様、本に箔づけをするための付会であろうと考えられる。

本の体裁は上下二冊であったり、あるいは合冊して一冊になったり、これを編集し直して一冊にまとめてあったりと様々であるが、この本が成立した当初の形は二冊本であったのではないかと思われる。ただし、もし嘉吉本が本当に古ければ、はじめは一冊本でそれがやがて二冊に分かれ、また最後に一冊にまとめられたということになる。

『金物目術書』や『刀剣目術書』という名前が用いられ、あるいは伝授者個々の名を冠して伝書が呼ばれるような文禄以降のものになると、一冊にまとめて末尾に簡単な鍛冶系図を加えるようになってきており、目術書と題する伝書はすべてこの体裁になっている。内容は竹屋系の『秘談抄』と本阿弥系の『如手引』にそれぞれ一脈通ずるものがあるものの、細部になると、そのいずれとも異なった、おそらく当時複数の伝書を種々勘案して一冊にまとめたのではないかと思われる内容であり、この編者を竹屋系あるいは本阿弥系と区別できるだけの特徴が見られず、やはり当時の武家目利による編集と考えるのが妥当であろうと思われ、それが三好下野入道の門下であっても問題はないであろう。

もう一つ、この本で不思議なのは、本によって記載する刀工数に大幅な相違があることである。嘉吉本では一〇八工を載せており、『名刀考』は一三八工、和鋼博物館の慶長元年逆算年号入りの伝書は一五四工も載せている。それに比べ、時代の降る『金物目術書』や『刀剣目術書』が、およそ半分にしかならぬ六四工を載せただけと、本によってまちまちである。

この手の伝書というものは、転写するたびに書き込みが増えてきて内容が豊富になってくるのが通常なのに、この押形本ではその常識が通用せず、時代が降って抄本的な伝書を出しているのが奇妙である。一冊と二冊の冊数の違いによって異なるのかとも推測されるが、一冊本の『名刀考』でも二冊本より多い一三八工を載せており、冊数の問題ではないようである。あるいは伝授を受ける人の程度によって精粗の加減をしたのかもしれない。これらのことから、原本となった押形集『秋広押形』は室町末期の成立と考えるのが妥当のようで、これまではっきりとした定説がなかった刀剣押形が完成した時期についても、一応室町末期ごろと推測することができる。

刀剣の詳細を記録するために押形をとるということが一般に行われるようになったのは、はたしていつごろのことであったのか、ということには確とした定説がなく明らかではないものの、鎌倉時代の著作と伝えている『観智院本銘尽』ですでに見られることから、鎌倉時代にはすでに押形にとって刀を記録するという習慣があったと見なければならない。しかし、当時の押形はいずれも茎のみの押形で、刀身の刃文をとった押形がいつごろから見られるようになったかということについては、これもまた確とした定説がなく、これまでは南北朝末期の鑑定家宇都宮三河入道の子である新川より始まるとも、あるいは刀工の相州秋広から始まるともいわれている。新川は応永(一三九四〜一四二七)ごろの人で、秋広は南北朝期の人であることから、刀剣の刃文を写した押形をとり始めるようになったのは南北朝から室町初期の応永にかけての間と考えられていたわけである。

新井白石は『本朝軍器考』のなかで「貞宗が弟子九郎秋広というは後光巌院の御宇文和(一三五二〜五六)のころの人也けり。それが時に至りて廿五ヶ国の押形という物を作りしより始めて代をも国をも、真なる偽れるをもしる事、掌を指すよりも猶ほ明らかなりけり」と記して、刀剣伝書は相州正宗が、押形本は秋広が、それぞれの嚆矢であるとしている。『古今銘尽』でも「系図秘談抄」の奥書に相州正宗が諸国を巡り、鍛冶に口伝を聞き、系図を記し置いたものを原本としたのが本書であるとして、同書の箔づけをしていることから、このような考え方は当時の最も一般的な考えであったものと見られる。

刀剣書の起源については、正宗以前すでに数種の著作があったことは、各種の資料に徴して明らかだが、完全な押形本の出現がはたして南北朝までさかのぼるかという点については異論がある。南北朝の永徳元年（一三八一）の著作と伝えている『喜阿弥本銘尽』や宇都宮入道の著と伝えている『宇都宮銘尽』（長享二年〈一四八八〉写）などでも、まだ刃文の押形は載せておらず、押形そのものはまだ『観智院本銘尽』に見るのとほとんど変わらぬ原始的な茎押形のみである。

享徳元年（一四五二）八月の奥書がある天理図書館蔵本の『鍛治名字考』や、安田文庫旧蔵の『長享銘尽』などを見ても、それらの押形は確かに進歩の跡を示してはいるが、和綱博物館蔵の嘉吉年紀のある『目利書国々図入』と仮題した伝書に見る押形とは相当なへだたりがある。この嘉吉本の『目利書国々図入』は、伝書の表紙裏に「嘉吉元年（一四四一）八月十五日」の書き入れがあるので嘉吉本といわれているが、同時代の他の伝書等から推して、これがはたして嘉吉の年代であるかどうか疑問である。もしこの本が間違いなく嘉吉原本であれば、刃文と茎の揃った押形本が室町前期に成立していたことに間違いがないことになるが、現存する押形本を見ると、刃文まで記録するようになったのは弘治から天正にかけての間であったと思われ、それより一〇〇年以上も前の嘉吉ごろに、このような押形があったとは考え難く、嘉吉の年号は後世の悪戯であろうかと思われる。

ただし、天正から慶長にかけての筆写であろうと思われる写本を見ると、この本が秋広の口伝であるという伝説があったことが知られ、著者蔵本や慶長十二年（一六〇七）筆写の和綱博物館本など天正ごろの原本を忠実に写したものは、奥書に「右の口伝秋広の伝説斎藤弾正忠宇津宮三河守　木本美作入道　斎藤左京亮伝説を三好下野守口伝也　此秘伝ハ所某相伝□□也　又本阿弥一流之所々抜書此内へ相加へ□有　他見可秘者也」とあって、秋広の口伝を斎藤弾正忠、宇津宮三河入道、木本美作、斎藤左京亮へと代々伝えてきたものに、本阿弥家の説も少々加えて完成したのが本書であるとしている。

それが佐柄木孫太郎光煥の名で出された文禄二年（一五九三）の刀剣博物館本や、慶長八年（一六〇三）の尾張徳川家の蓬左文庫本になると、題名も「金物目術書」や「刀剣目術書」に変わって、奥書も「一、今度相伝申刀目術の事　本阿弥弁我家之秘書雖《(雖)モ》レ為《リト》二唯《ダ》予一人之許一御所望之間少シモ不レ残《サ》相覚通相伝申者也仍《テ》如《シ》レ件《ノ》」となっており、秋広の口伝ということは影をひそめて、本阿弥家と佐柄木家に伝わる伝書ということになっている。

『直江《なおえ》本《ぼん》長享《ちょうきょう》銘尽《めいづくし》』

『直江本長享銘尽』（『直江入道本銘尽』）は長享二年（一四八八）の筆写本で、この伝書を「直江本」と呼ぶのは、巻末の奥書に以下のように書かれているからである。

旹天文廿二癸丑年五月吉日　此本与板直江入道殿ヨリ相伝ス　越後国住人（以下氏名花押を抹消）

これから、越後与板の城主直江家に伝来した長享の原本を、越後国の某（氏名が墨で消されて不明）が相伝を許され、天文二十二年（一五五三）五月に筆写したものであることが知られる。ここに直江入道とあるのは、直江大和守景綱入道を指すものと思われるが、景綱は天文五年（一五三六）三月五日に没しており、この伝書の筆写を許したのは景綱の子で、有名な直江兼続の養父であった上杉謙信の重臣、直江信綱であったと見られる。

もと剣掃文庫旧蔵本で、現在刀剣博物館の所蔵となっている。伝書の体裁は、素紙の二枚折和綴で、墨付が四二枚である。現状は総裏打になっているが、これは旧蔵者である村上孝介（剣掃）氏が依頼して修理させたもので、それ以前は原装の傷んだままであったという。

表紙には「銘尽」とあるだけだが、このようなぶっきらぼうに、ただ「銘尽」あるいは「目録」とのみ題したものは、室町時代末期か江戸時代初期までの伝書にはよく見受けられる。これは、剣書の数もさほど多くない時代においては、題名も単に剣書であることだけを表示すれば十分であったためである。時代が降って剣書の数が多くなり、その内容も多岐にわたるようになってきてようやく、その内容を区別する必要が生じ、詳しい題名を表示するようになってくるのである。

本書の内容は古様で、おそらく成立は南北朝頃までさかのぼるのではないかと思われる。伝来および内容については、奥書の前段に、

> 本云此内ノカチ（鍛冶）ワ天下ノ重宝トサ（定）タメヲ（置）カレシ山門ヨリ内ノホウサウ（宝蔵）ニコ（籠）メラレ、シンピ（神秘）ノメイツクシ（銘尽）ノヨシ（由）云
> 廣□院サマ是ヲメシ（召）出シ御ヒケン（被見）ヤカテヲ（置）カレヌ時ニ薗賀殿御所望アリケリ、然ニ

不思義ノエン（縁）ヲモツテ、モトメテ是ヲカキウツ（書写）ス物也、次ニ時ノ筆者中河武繁和ニ津銘尽ニハ昔中比之カチ（鍛冶）斗ニテ近比ノ者名物ノ品タリトイヘトモ本ニ云ニ是ヲノセス隆然イノクマ（猪熊？・）下向之時名物津共仁ニ見ハンタンニ及ブ、口伝又之手間分少シシル（誌）ス物也

とあるので、この神秘の銘尽は、もと比叡山内の宝蔵に籠められていたが、廣　院様が所望され、取り寄せて被見されそのままになっていたのを薗賀殿が所望されて書き写したものを、さらに中河武繁という人が書き写したもので、もともと古作を主にした銘尽で、近代のものや名物のものなどは所載のないものが多かったということである。

ただここでいう「廣　院」は誰かということが、もうひとつはっきりしておらず、福永酔剣氏は足利義満とされているが、義満とすれば法号が「鹿苑院」であるが、字画がどうも鹿苑院とは読み難いので、この人物をにわかに義満と断定するのは難しく、調査の必要がある。しかし、これを足利義満とすると、所載鍛冶の下限と応永十五年（一四〇八）に没した義満の年代はピタリと一致する。

伝書の内容を検討すると、応永以降の鍛冶は所載しておらず、観智院本の正和銘鑑と記事が重複する部分や、元亨までの逆算年号を記した箇所があったりすることなどから、鎌倉末期ごろの数種の伝書を編集して、この伝書の原本あるいは底本というべきものが成立したのは、鎌倉末期から南北朝にかけての間であったろうと考えられる。

銘尽の内容は、序文などが全くなく、いきなり本文が始まっており、巻首は「大和国カチノ次第」である。

ここでは天国、友光の古鍛冶に始まり、千手院、手掻、尻懸、保昌、当麻と大和五派を網羅しており、鍛冶数も多く、その内容も比較的に充実している。特に天国については内容が詳しく、記事量も豊富である。そのほかに目立っているのは、長谷部鍛冶を大和鍛冶に分類していることで、国重を「大和ヨリ山城ニスム、又カマクラヱモ下向セリ」としており、長谷部国重が大和から鎌倉を経由して山城に定住したことを示唆している。

続いて「山城国之鍛冶次第」で、「来カチ（鍛冶）ノケイツ」（系図）」と「粟田口之ケイツの項目を設けており、これに続いて三条・五条・大宮・菊御作・吉家・信国となっている。「来カチ（鍛冶）ノケイツ（系図）」の二つの項目図）」は国行・来国俊・来国光・国末・国長・国次・国安と続けて、二字国俊と来国俊は同一人としている。粟田口は、国家の子の六人兄弟のほかに、国光・吉光・吉久などを加え、そのほかには綾小路定利や、了戒・了一父子について触れている。

続いて項目は別に立ててはいないが、粟田口のあとに五条・三条の国永・宗近・兼永・菊御作と続き、さらに神来・吉家・信国で畿内鍛冶は終わるが、例えば国永について「三条ノ孫太郎ト云、此作太刀保元之合戦之時村上大所（郎）所持相伝、同名二人アリ、一人ハ昔物、一人今ノワ国ノ字長キナリ、昔シ物ハ国ノ字ミジカシ」と、同名の鍛冶が二人あるとして、それぞれの銘の違いを挙げている。

このように総体に畿内鍛冶の記事内容は充実しており、所要紙数も全体の四分の一を占めていて、畿内鍛冶の部だけを見ると、すでに室町末期の剣書の骨組は完成しているといってもよいほどである。

畿内鍛冶の次が「相州鎌倉鍛冶之次第」である。ここでは新藤五国光を粟田口国光弟子としており、また広光は行光の子で貞治（一三六二〜六八）ごろの鍛冶、広光の子が秋広で明徳（一三九〇〜九四）・応永（一三九四〜一四二八）年中の鍛冶としているが、いずれも年代的には大筋において無理がなく、作風の継続性と変遷の面からも傾聴に価する意見で、その多くはほぼ正鵠を射ているのではないかと考えられる。また相州助真は沼間藤源次太夫という鍛冶で、細直刃を焼いて大和物の風情があるとしており、備前助真とはっきり一線を画し、別人として扱っている。これは観智院本などの説を踏襲したもので、現実の問題として見ると、相州助真がたまたま備前助真と同名で製作年代も一〇〇年くらいしか違わないために、両者が混同され、沼間に住した助真が備前助真の偽物として扱われることが多かったであろうことを示唆するものである。

相州鍛冶に続くのが備前鍛冶であるが、備前は鍛冶数も多いので、所載鍛冶数も一二九人と、国別鍛冶数で最も多く、他国の鍛冶を圧倒している。しかし、備前鍛冶一般についての内容は、畿内鍛冶や相州鍛冶に比べると、中央との距離が遠いこともあってか、情報の精度が大分劣っており、なかには大分怪しい記述もあるが、その反面、他書にない記述も多く、これらの情報を未整理の情報として考えると、当時の風聞をそのまま誌した貴重な資料であり、これらの錯綜した未整理の情報を整理することによって、この中から確度の高い新しい資料が発見される可能性もあり、期待される。

備前鍛冶のはじめは「備前国鍛冶之流」として、まず「三作也、安徳天王之御時代也」とし、光忠の次に長光・景光・兼光の茎押形を掲げ、その下に解説を付す。これを見ると、後世の長船三作は長光・近景・真長の三人を三作と称しているが、この伝書が完成した時代の三作というのは長光・景光・兼光という、縦に連なる三人を指していたようである。

この三人の解説を見ると、長光は「大キリヤスリ（切鑢）　ホリメイ（銘）ナリ、ハバキ（鎺）ノ元ニ打モアリ、刀（短刀）ニワ〇（目釘穴）ノ下打モアリ、高倉ノ院、安徳天王両御代ノカチ（鍛冶）ナリ、ヤイハ（焼刃）ヒロシ」として、高倉天皇から安徳天皇にかけての鍛冶と考えていたようだが、長光の時代を安徳天皇（一一七八～八五）の高倉院政の時代とすると、実年代の文永（一二六四～七四）から嘉元（一三〇三～〇七）よりも一三〇余年もさかのぼることになって、長光が日本刀の完成期の鍛冶ということになってしまい、他の鍛冶も含めて三作の時代のつり上げが目立っている。

また、長光の銘を彫銘としているのは、直江本が初見でなく、この説が観智院本の説を継承していることは、観智院本に、長光について「大キ里やすり（切鑢）、又ハほりめい（彫銘）也。たがね（鏨）にて□□□めぬき（目貫穴）より上ニ打、めい（銘）ハきわふち（際縁）にうつ（打）」として、要所ではほとんど直江本と同じような記述をしていることによっても知られる。

このように、備前鍛冶の部は資料の錯綜が目立つが、これは、数種の剣書をまとめて編集するにあたって、編者に備前鍛冶についての基本的な知識が不足していたために起こった欠陥であろうと考えられる。また備前鍛冶の部では随所に『観智院本銘尽』の正和本が顔を出しており、例えば政真のように観智院本と全く同じ記述のものや、守長のように、観智院本の記述から正和五年（一三一六）の逆算年数を除いただけというものまで様々ある。また守家や正恒のように、観智院本の記述を基礎にして一段と内容を豊富にしたものもあって、観智院本と直江本の記述を並べてみると、そのことがよく分かる。

守家の場合は、両書ともに茎絵図を掲げ、観智院本は、

ひんせん（備前）の住、大きりやすり（切鑢）、ほそすくやきハ（細直焼刃）又ハミたれやきは（乱焼刃）もあり

としており、直江本では、

大キリヤスリ（切鑢）又スチカヱヤスリ（筋違鑢）、ヤイハ（焼刃）フカク（深）ミタレ（乱）又ハノタリタルモアリ、又ミ子マデヤケイリタルモアリ、メイ（銘）ワモリイヘ（守家）トハカリ打。近代ノ名ブツ（物）ナリ、刀ハアツク（厚）ツクル（造）ナリ

とあって、二つの伝書の記述の変化のほどがよく分かる。

また、友成については、

面ニ友成、ウラ（裏）ハ君万歳ト打也、此作ハバキ（鎺）ノ上ヨリスコシ（少）ソリ（反）テ、スヱチト（切先）ホソク、タフン（多分）ハ打ヒ（樋）ナリ、二子ノ□ドヲチトトリテケンノカシラ（剣頭）ナリ、コスヂカイヤスリ（小筋違鑢）、スクヤキハ（直焼刃）ハタ（肌）シロ（白）シ、中子ノホド大ニカタ丸シ、刀（短刀）ハ不作、平家ノ一門ノト□□（能登守）所持ノ太刀此作也。又ミナモトノ（源）ヨシツ子（義経）クラマ（鞍馬）□□□ヨリ給太刀モタカクラ此作也、白河ノ院ノ時代□□

としているので、この部分の記述は、文明年間（一四六九～八七）に新しい資料を加えて成立した記述であることが知られ、友成の製作年代を文明より三五〇年さかのぼった大治（一一二六―三〇）としているのは、他の剣書に比べて、友成の実年代によほど近づいているといってもよい。

備前の次は「備中国之鍛冶一流」であるが、この項は青江太郎守次を祖とする簡単な青江鍛冶系図と、次家・次吉の茎絵図を載せ、これに少々説明を付しただけの、全部で紙数一枚にも満たない簡単なものである。そうしてこの備中鍛冶のなかに紛れ込んだような状態で、豊後国行平に変わっており、行平に続いて薩摩の正国・行安、豊前の神息、肥後の国村、筑前の左などの九州鍛冶になっている。

この九州鍛冶のなかで一番重要視されていたと思われるのが豊後の行平で、その経歴や作風について三頁にわたって詳しく述べており、当時は行平の評価がいかに高かったかがうかがわれる。そのゆえか、この伝書では九州鍛冶のなかで行平の子としている鍛冶が多く、康貞を行平の聟、正恒・波平正国・助近・安則の四人を行平の子としている。しかし、安則のように茎押形を三種も掲げて、それぞれに「神息之子也、清神大夫ト号ス、元ハ大和国住人ナリ、中子ツチメナリ」「如《キ》ㇾ此《ク》ニモ打、行平カ子ト云、此作ノ太刀保元合戦之時宇野七郎コレヲハキタリ、其後スワノ新江衛門相伝ス」「ウリサ子ツクリ是ナリ、又後同名昔ニモ」として、いろんな説を併記したものもある。それぞれの鍛冶についての記述はおおむね妥当であるが、現存刀に基づいたと思われる箇所も随所に見かけられる。

九州鍛冶のあとが「伯耆国之鍛冶」で、安綱・真守・日乗法師などの二三人について略記しているが、その中の大半は安綱で占められており、特に安綱の製作した名剣についての記述の多さが目立つ。

この直江本の構成は、他の伝書とは少々異なっており、他書には地理的な、街道などに配慮した構成をしているものが多いのに比べ、直江本は国別の鍛冶の重要度を比較して、重要度の高い国から順に並べており、この伯耆国までが、比較的重要な国あるいは地方であり、これからあとが鍛冶数の少ない国、あるいは鍛冶の活動が長く継続していない国々で、これを地域別に分けて記している。例えば美濃国は室町末期になると一大刀工王国となるが、この直江本が成立した時はまだ、則重・江・宇多鍛冶を抱えた越中国にも劣るような状態であったことを示す群小扱いになっている。これらの群小の国々は全部で二四ヵ国あり、河内から、山陰地方の石見・出雲。中国地方の安芸・播磨・備後・美作・丹波、信濃、河内の次が四国の土佐・讃岐、東山道は近江・美濃、東海道が三河・遠江・駿河・尾張、北陸道は加賀・越中・越前・越後・佐渡、最後が奥州で終わっている。

国分鍛冶が終わると「昔鍛冶之来暦之次第」で、ここでは三種神器の一つ天叢雲剣と草薙剣について述べており、続く「剣之名物少々」では、盛国・実次・近吉・藤戸・定吉・末兼・末平・末時という八人の古代鍛冶について述べるが、これらの鍛冶はいずれも伝説上の鍛冶で、現存刀は全く見られず、なかには記録的にも明らかでない鍛冶も含まれている。

次の「後鳥羽院御代番之鍛冶」は十二ヵ月の結番で、「太刀刀ノ見所キス物アル所ヲシル様之コト」は疵の見方と、疵によって吉凶を占う剣相について記しており、迷信深い当時の武士が剣相にも関心を抱いていたさまがうかがわれる。これに続くのが奥書の前段ともいうべき跋文で、内容は前述の通り、伝書の由来を記している。続く「近比之名作ノ物之事」のあとが奥書で結ばれる構成となっている。

『能阿弥本銘尽《のうあみぼんめいづくし》』

著者の能阿弥は本姓中尾氏で、はじめ越前朝倉家の臣であったといわれており、出家して能阿弥と号し、足利六代将軍義教に同朋衆として召出され、義教、義勝、義政の三代に仕えた、室町前期における第一級の文化人である。その活躍期間は永享（一四二九〜四一）ごろから寛正（一四六〇〜六九）ごろにかけてで、文明三年（一四七一）八月十五日、大和の長谷寺において七十五歳で没した。

能阿弥の業績で最もよく知られているのは連歌で、宗祇から連歌七賢の一人として讃えられており、当時歌壇の最高峰と目されていた北野会所の奉行に任ぜられている。和鋼博物館本『能阿弥銘尽』の奥書にも「右此銘尽天下ノ連歌宗匠能阿弥陀房被二書《キ》出《ダサ》一候云々」とあって、能阿弥が後世においてもなお連歌の権威として広く知られていたことがうかがわれる。

絵画でも能阿弥は周文に師事して画名が高く、しかも子の芸阿弥、孫の相阿弥も画家として名を知られており、世人はこの親子孫の三人をまとめて「三阿弥派」と称している。

また能阿弥真能は美術品全般の鑑定や故実にも通じていたため、足利義政から将軍家に伝来した各種美術品の管理を命じられ、その職務に関する事柄を『君台観左右帳記』と題する著作に書き残しており、孫の相阿弥が著した『御飾記』全二冊とともに、室町時代の書院造りの様式や床飾り、唐物趣味などを知る上での好資料となっている。

このように能阿弥、芸阿弥、相阿弥と続く三代の人々は、いずれも、絵画だけでなく、美術品全般にわたっての広い知識を有していたことが知られる。したがって『能阿弥本銘尽』も、この広範囲にわたる美術品や諸道具に関する知識のなかの一環として、能阿弥によって編集されたものであろうと思われる。

『能阿弥本銘尽』の現存する写本は比較的に多く、この銘尽が秘伝書として長期にわたって利用されてきたことがうかがえる。そのためもあろうが、転写を経た伝書のなかには能阿弥の存在そのものが稀薄になってきているものが多く、現存する『能阿弥銘尽』には「鍛治銘尽」「太刀・刀銘鑑」などいろんな題名が付されているだけでなく、本文はもちろん巻末の識語などにも能阿弥の名を全く見出せないものが多くなっている。

このような伝書でも、その内容によって『能阿弥銘尽』の転写本であることを確認することはできるが、伝書そのものの内容は、いたって簡単なものと、一段と詳しくなったものとの二様があり、予備知識なしにこの二本を比べると、全くの別本かととまどうほどの違いがある。これは、成立当初のままの内容で、ほとんど手が加えられていないものは簡素な内容であり、何回も転写を重ねていて、転写のつど、記事に注釈を加えたりしたもののほうが内容はより詳しくなっているからである。

現存する『能阿弥本銘尽』のなかで成立当初の古様を最もよく残している簡素な内容のものの一つに、著者所蔵の「太刀・刀銘鑑」と題する写本がある。筆写の年代は寛政十二年（一八〇〇）と比較的新しいが、内容は多くある『能阿弥銘尽』のなかでは、最も能阿弥の原本に近いものと思われ、後述の田使行豊相伝本に比べると一時代古く感じられる。一方、『能阿弥本銘尽』のなかで、内容の豊富なことで知られているのが、田使行豊の相伝本を祖本とする一群の伝書である。このなかでの代表的な伝書としては、内閣文庫本と和鋼博物館本がよく知られている。

能阿弥からこの銘尽を相伝した田使行豊は、備前の難波一族、難波掃部助の弟で、難波十郎兵衛尉行豊といい、のちに因幡守に任ぜられた。長禄年間（一四五七～六一）の三石合戦以降、備前・美作・播磨三国の大守赤松政則に属してたびたびの軍功を挙げている政則麾下の有力武将で、刀剣の目利きとしても知られている。行豊と能阿弥の結びつきについては、能阿弥が文明三年（一四七一）に没する以前であったことは動かないであろうから、行豊としては比較的初期の長禄・応仁（一四九七～六九）ごろの行豊が在京時であったと思われ、おそらく連歌を通じての交際であったものと考えられる。

現存する各種能阿弥本を校合すると、『能阿弥銘尽』と呼ばれている秘伝書の編集をしたのは確かに能阿弥に間違いないものと見られる。しかし、原本に近い形の伝書を見た印象では、能阿称は鑑刀面で新境地を開拓した人というよりは、伝統を守って古い伝書をまとめて集大成した人という印象が強いのに対し、田使行豊系の伝書は『宇都宮銘尽』に比べても相当な進歩を示している。これは、能阿弥にとっての活躍の分野からすると、刀剣はむしろ比重の軽い分野で、ただ将軍家の美術品管理者という立場上、刀剣に関する知識が不可欠であったことから、被見することが容易であった将軍家所蔵の剣書を基礎にして、これに自らが見聞した事柄を加えて銘尽にまとめたのが当初の『能阿弥銘尽』であったと考えられる。この銘尽の筆写を能阿弥から許された田使行豊が、その後に、自らが得た豊富な刀剣知識をもって、この銘尽を補強、補完したものであったことは、和鋼博物館本の奥書に「右此銘尽天下ノ連歌宗匠能阿弥陀房被二書出《キダサ》一候、其以後人体口伝引合載二注文一旱(畢)《ハンヌ》、備前国住田使行豊雖為《モリト》二秘蔵一、色々所望候間書注訖《ハンヌ》。聊爾ニ外見候ハバ不レ可《カラ》レ□二其《ノ》曲一候。田使因幡守行豊(在判)」とあることによっても明らかである。

『能阿弥銘尽』の内容で目立っているのは、第一に鍛冶を国別に分けていることである。これまでの銘尽には、鍛冶を製作の年代によって「後鳥羽院御宇」とか「和銅年中鍛冶」というように分類するものと、国別に分けて編集したものとがあって、『能阿弥銘尽』以前では鍛冶を製作の時代別に分類するという方法をとっている銘尽が多く、国別に分けているのは、わずかに『観智院本銘尽』のなかの一部で国別の編集をしているのが目立つ程度である。『能阿弥銘尽』以降は、本の構成そのものが、鍛冶のすべてを国別に分ける編集方法をとるものが多くなってきており、その点では、この『能阿弥銘尽』成立のあたりが一つの転換期にあたっているといってもよいのではないかと思われる。

『能阿弥銘尽』はまた所載の鍛冶数も多くなっており、主要鍛冶には茎押形を挿入しているのが従来の伝書に比べて目立っている。記事の内容そのものも刃文や地鉄についての記述が多くなってきていて、刀剣伝書としては、『宇津宮銘尽』よりは一歩進んだ伝書といってもよいだろう。

巻首は「後鳥羽院御宇鍛冶結番次第」であるが、この結番は『観智院本銘尽』にある二種の鍛冶結番のうちの第一種、二月で二人ずつの結番を一月一人に割り振って転化したものかと思われるが、奉行人の名が『観智院本銘尽』とは一部異なっている。続いて国別に、大和、山城、河内、和泉、近江、美濃、三河、遠江、駿河、相模、陸奥、出羽、信濃、越中、越前、加賀、若狭、但馬、伊賀、武蔵、備前、備中、豊前、豊後、薩摩、肥後、肥前、長門、筑前、大隅、備後、阿波、讃岐、播磨、美作、伯耆、丹波、紀伊、出雲、石見、土佐、伊予、因幡、周防、筑後、不知国鍛冶の順で記しているが、各本によっては国名の順序が相違したり、国名が落ちたり、前後したりしていて、それぞれ小異がある。

大和国は定石通り、天国、友光、行平、金王、重弘と始まっているが、鍛冶数が七六工と多く、押形ならびに作風について記したものも比較的に目立っている。系図は千手院系図を掲げているが、当麻鍛冶が欠落しており、本によっては包永の茎押形を欠いたものもある。

山城国は宗近から始まって、吉家、国永と三条・五条の鍛冶が続いたあと、宗近同時代で同作に似るという大宮国盛とその一党の鍛冶を挙げており、これら一群の鍛冶の作は現存刀には見られない。綾小路定利に続いては、来系図の次に、来国行、来国俊、来国次、来国長、了戒など来一門の鍛冶を挙げているが、来国俊について「直焼刃一代ノ名ナリ、ヲヤノ国行ニマサレリ、後鳥羽院ヨリ来の字給」とあるのが目を引く。来鍛冶の次は「粟田口鍛冶次第」で、長谷部鍛冶がこの間に挿入されている本もある。

山城に続いて河内、和泉、近江、美濃、三河、遠江、駿河と続くが、美濃以外は各本ともに記述に大きな相違はない。美濃国では、和鋼博物館蔵本の田使行豊系伝書は、外藤・長基・寿命など記述を簡単に省略し、代わりに志津・直江志津の部分に力を注いでおり、時代とともに関心の度合いが変化していることが知られる。

相模国になると、田使行豊系の伝書で筆写年代の降るものは、内容が全くの別本かと思われるほど豊富になってきており、筆写のたびに加筆されたさまがうかがわれ、相州伝偏重の世相をはっきりと示している。

陸奥国の部は、各本ともに全く同じ内容で異動はないが、鍛冶名は三八工を挙げており、現存刀に見られないものが多く、猛房の茎押形を掲げて「御物万疋」と注を施しているのが注目される。

陸奥国に続いては、出羽、信濃、越中、越前、加賀、若狭、但馬、伊賀、武蔵と、いずれも各本ともに内容にさほどの変化がなく、『能阿弥銘尽』が成立した当時と、それからしばらくの間は、これらの国々の鍛冶に関する情報が少なかったと見られる。このなかでは、越中鍛冶の項で、貞宗、国友、友則、国弘、国宗と続けて、これにはわざわざ近代と注を施しており、これは、当時も現在と同じように一〇〇年未満は現代刀と考えていたことを示すものであろう。

武蔵の次は備前となっており、さすがにこの国では所載する鍛冶数も多く、一九五工にものぼっている。しかし、鍛冶数が多い割に、注文や作風の解説が少なく、どちらかというと銘鑑的な性格のほうが強い。

続いて備中国になると、この性格が一段と強くなってきて、鍛冶名以外には青江系図と直次の茎押形、それにわずか一四、五名の鍛冶に簡単な注を施した程度である。

備中以降の国々は、本によって順序が大きく異なっており、寛政十二年（一八〇〇）筆写の『太刀・刀銘鑑』では備後、播磨、美作の山陽道の国々に続いて伯耆、丹波、因幡、出雲、石見、肥前、筑前、周防、豊前、豊後、大隅、長門、阿波、讃岐、土佐、伊予、紀伊、不知国となっており、内閣文庫の田使行豊本は、備中に続いて豊前、豊後、薩摩、肥後、肥前、長門、筑前、大隅、備後、阿波、讃岐、播磨、美作、伯耆、丹波、紀伊、出雲、石見、土佐、因幡、周防、不知国となっており、和鋼博物館の埋忠彦三郎本では、備前国の前に丹波、播磨、美作、因幡、伯耆、備後、出雲、石見、周防、長門、豊後、筑前、肥後、肥前、大隅、薩摩、阿波、讃岐、土佐が入るなど、まるで滅茶苦茶である。これらの国々のなかで最も大きく内容が異なっていて目立つのは、筑前の左文字であろう。

『太刀・刀銘鑑』では茎押形の横に、

ハキウラ（佩裏）ニ康永三年（一三四四）十二月日、マタハオモテニ筑州住卜打、ウラト左卜斗目貫穴ノ下ニ打モアリ、鎌倉五郎入道ノ弟子隠岐浜ノ左衛門三郎貞吉卜云、ヨコヤスリモアリ、ハバキ（鎺）カ子ノ三寸斗下シノキカケテ打

とあるだけなのに、内閣文庫の田使本では、

このさもんし（左文字）は、かまくら（鎌倉）五郎入道が弟子、隠岐の浜の左衛門三郎云者也、物切なるによって、せけん（世間）にこれをもちいたり、秋間師ニ用まさりたるあいだ、かまくらを追罰す。おなし国山内にしのびいたりけるが、ひミやかに太刀、刀をつくりけるに、いよいよはた（肌）やきは（焼刃）物切ルコトすくれたりしかは、又そのかくれなくしてくわんとう（関東）をついきやくす。九州ちくせん（筑前）の東にすむ。左というし（字）をうちたるもあり、又安吉とうちたるもあり。

というふうに噂話が加わって大きく変わっている。さらに和鋼博物館の田使行豊本になると、

是ハかまくら五郎隠岐濱の左衛門三郎と云、大すちかいやすり（筋違鑢）、なかこ（茎）のむね丸くあり、かのかち（鍛冶）打たる太刀かたな無銘なかこ子細有、彼の左文字、五郎入道第一の弟子なり、金あはい、はた（肌）刃上手なり、関東諸侍衆、左もんし（文字）をほんそういたさるるにより五郎入道よりもはなハだ（甚）し。太刀かたなヲ作させられける間、讒訴に申しかけて隠岐浜ヲ追討す。同国（鎌倉）山内に忍居て、無名に太刀か太なヲうつ。またやきは（焼刃）をかまくら（鎌倉）の趣には不焼して、打者達者たるニよりて或時ハ京かちやう（鍛冶様）焼、また或時は長船なとのかかりのことくにも、刃をいろいろさまざまにしかえ（仕替）たり、割名を継ぐところに、又かまくら殿へ申、彼在所をも追失い、その以後諸国流行して打物共仕りたるが、筑前国にも在、肥前国にも伊佐早庄住して、よく仕たるも在。又は左と長銘ニ筑州源佐と斗、はきおもて（佩）ははき（鎺）金より三寸はかり下、ひらしのぎ（平鎬）かけてうつなり。

となって、噂が噂を呼ぶ状態となっている。

左文字は『宇都宮銘尽』では「左、同国（筑前）住人、法名慶源、国行弟子」とあったのが、『能阿弥銘尽』では、はっきりと正宗弟子となっていることから、『宇都宮銘尽』から『能阿弥銘尽』に至る間に相州正宗人気の高まりがあって、有力鍛冶のなかにだんだんと正宗門人とされる鍛冶が多くなってゆく過程がうかがえる。やがて、これが室町末期になると正宗十哲説となって横行することになる。

本文のあとは、本によって様々だが、大部分の伝書では、長円・文寿・猫丸・後鳥羽院の御作についての記述の追加があるものが多く、『太刀・刀銘鑑』では、これらの追加分に続いて、いろいろな茎押形を載せて、莫耶、眉間尺の記事で終わっている。内閣文庫本では、猫丸・文寿・菊御作以外にも、太刀刀つくり吉凶日の事や、備前長船近代の上手として盛光・康光・家助・経家・盛重・祐光・則光・実光・政光・是光・師景の一一名を挙げる。また和鋼博物館の田使行豊本では、このあとに種々の聞き書きを加え、彫物についてもいろいろ種類を挙げており、鍛冶では粟田口国吉や紀州の箕戸国次について誌している。また、最後に「国々同銘割付の事」として、諸国に同名のある鍛冶名と該当国名を列挙している。

奥書はあるものもあり、ないものもあって、必ずしも一定しないが、奥書によって能阿弥伝書の流れがよく理解できる。最も代表的な奥書は内閣文庫の田使行豊本で、田使行豊から三好下野守へ、三好下野守からさらに松永右衛門介を経て永野七郎左衛門に伝えられた伝書の奥書は、以下の通りである（便宜のために訓点を付した）。

右此正銘尽事。従《リ》二能阿難波十郎兵衛尉行豊一依《リ》レ有《ルニ》二子細一書写相伝畢《ハンス》。雖《モ》レ為《リト》二秘書一依《リ》二御所望《ニ》一令《メ》二写進《シテ》覧《セ》一畢《ハンヌ》。不《ル》レ可《ラ》レ有《ル》二外見一者也。

文明拾伍年癸卯二月

田使行豊

右此抄雖《モ》レ為《リト》二拙者秘蔵一貴殿御所望之間不レ残《ラ》二所存一令《ムル》二写進《シゼ》一者也。

永禄元年三月三日

　　三好下野守

松永右衛門介殿

　　参

此御本松永右衛門助殿雖《モ》レ為《リト》二御秘蔵一申二‐請《シ》則《チ》御前子《ニ》一而拙僧《ノ》致《ス》所《ニ》候。乍《ラ》二悪筆一書《キ》写令《シメ》二進《セ》上一候。貴殿《ノ》御望《ニ》而候間早筆に一夜ヲ明《カシ》仕《リ》候。

委細令勘御よろしく

永禄七年十一月廿五日

　　清舜在判

水野七郎右衛門尉殿

　　参

『紛寄論《ふんきろん》』

『紛寄論』は『如手引抄』と並ぶ本阿弥系伝書の代表作といわれている本である。著者は明らかではないが、『如手引抄』の著者を本阿弥光刹と伝えているように、昔から『紛寄論』の著者を本阿弥光徳とする説がある。

慶長十四年（一六〇九）の堀田之重、慶長十六年（一六一一）の浅香吉勝の写本があるといわれ、慶長十七年（一六一二）の三木吉右衛門の写本は著者が所蔵している。また、年紀はないが、紙質や筆跡から見て明らかに慶長の古写と認められる本も、天理図書館や著者の蔵本にあり、刀剣博物館にも村上剣掃氏旧蔵の元和八年（一六二二）の中村正次本がある。少し時代が下がると寛永十五年（一六三八）の丹羽三郎左衛門の写本などがあって、『紛寄論』は比較的に目にする機会の多い本であり、『銘尽秘伝抄』が出るまでは、この本が有力な情報源の一つであったことは疑いがない。また『紛寄論』の釈文は本間薫山博士が『刀剣美術』の誌上に連載されていた。

『紛寄論』と題する伝書の内容は、鑑刀にあたっての一般的な注意事項について述べた前段の三ヵ条と、各論ともいうべき「紛寄論」の二つから成っている。写本によっては、この前段の部分を「始縁集」と名付けたものがあったり、またこの部分を欠いたものがあったりして一定していないが、どちらかというと、前段の部分を省略した写本のほうが多いようである。前段の三ヵ条は、写本によって順序の異なるものがあるが、大略左の通りである。

第一条　刀、脇指の見所　五の役付の事
第二条　三之替物之事
第三条　目察物《めききもの》に向三の心持の事

この三ヵ条については『解紛記』でも似たような内容のものを「解紛記前後巻」として設けており、その内容がいかにも『紛寄論』とよく似ているため、このように総論的な性格を含んだ前後と各論ともいうべき本文を別々にした伝書の編集が、当時ようやく流行し始めたための類似なのか、それとも『紛寄論』と『解紛記』が同一系統の伝書であったかの、いずれかであろうと思われる。

第一条の五つの役付とは、体佩《たいはい》・鍛《きたえ》・焼《やき》・地色《じいろ》・塩相《しおあい》（沸、匂のこと）の五つであり、それぞれについて、体佩は作者によって陰陽の別があるとか、鍛は地肌に板目・柾目の別があるとか、地色は「上作は焼刃が白くはぜ、地色浮やかに青し」など、いかにももっともと思われることを述べている。

第二条の三之替物之事とは、若物《わかきもの》・炮物《ほうじもの》・湯違《ゆちがい》・保焼物《ほやけもの》などで、時代の若い物、炮物（焼直し）、湯違（数焼と書いたものもあって、作者自身の再刃をいうらしい）、保焼物（かるく火に焙られたもの）などの見どころを述べているが、その見方は現在とほとんど変わらない。しかし、かげ焼といって、焼直したものにはじめの焼刃が残って見えるものがあることや、地荒れ・刃切などの疵を見るのは、単に疵を発見するということだけではなくて、その疵から三之替物を見破るのが大切なのであり、それが目利きであるなど、傾聴すべき意見が目につく。

第三条の目察物《めききもの》に向三の心持の事は、打見時ノ心持・心ノ不付時ノ心持・替タル物心持の三つで、鑑定に際しての心構えを説いているが、平常心をもって鑑刀に臨むことの大切さを強調しているのは現代にも通じる。しかし鑑定の実際については、刃文と体佩の関連等についても、まだまだ理論というには至っておらず、現在の鑑刀理論に比べて今昔の感がある。

各論にあたる後段の「紛寄論」は、刀工を京、粟田口・大和・関・鎌倉・北国・石見・備前・但馬・備中・

備後の一一ヵ所に大別し、これに共通する見所の多い刀工として肥後・因幡を粟田口に付属させ、また出羽・奥州・薩摩の三国は北国に、周防・出雲は石見に、それぞれ付属させ、さらに「古作」として三条・伯耆・豊後・古備前・筑後の五つの欄を設けている。このような刀工の分類方法については、現在の刀剣常識からすると、誰もが奇異の感を抱くものだが、『紛寄論』が著された室町末期から江戸の初めにかけての刀剣鑑定というのは、刃文の特徴に頼るところの多い鑑定法であったと思われ、分類がこのような形になるのも、まだやむを得なかったものと見られる。

それぞれの国別の鍛冶についていうと、京鍛冶とあるのは山城鍛冶全般を指すのではなく、来鍛冶のみを指しており、国行・国俊・国光・了戒・畠国俊・光包の各工を小割で挙げて、これらの鍛冶に共通する点や個々の鍛冶の見どころ、特徴を詳しく述べ、さらに作風の似た鍛冶として「寄」に信国を加えているが、信国が来系の鍛冶で、その作風を継承している以上、これを挙げるのは当然なことであろう。

粟田口物は国友・則国・久国・国吉・吉光・国安・国清・在国・国綱を粟田口鍛冶とし、小割で国友・則国・久国・国吉・吉光・国綱について述べ、さらに粟田口鍛冶に紛れやすいものとして「付」に延寿鍛冶を載せているのは、延寿鍛冶が本国の来鍛冶に比べて若干沸づいたものがあるからというだけでなく、国吉・国綱など粟田口と同銘の鍛冶が目立つからということではないかと思われる。因州景長を加えているのは、初代景長を粟田口吉正門人と伝えていることによるものである。

大和物は当麻・尻懸・包永・保昌・千手院の五派に分け、大和の「付」として関鍛冶を千手院の流れとして載せており、濃州志津と直江志津・大和志津の三者を同人とする当時の説に疑問を投げかけているのは、現在の刀剣常識からいうと当然のことであるが、当時としては卓見であったと思われる。

鎌倉鍛冶は、鎌倉一流の事として新藤五国光・国広・国泰・行光・正宗・貞宗・左・長義・金重・広光・秋広・長谷部・義弘・則重・直綱の一五名を挙げ、貞宗を正宗養子、左・長義・金重・広光・長谷部・義弘・則重・直綱の八名を正宗弟子としており、これに京鍛冶の来国次と美濃鍛冶の兼氏を加えるとちょうど正宗十哲になる。現在ではこの正宗十哲というものが、相州正宗を神格化するあまり創作された仮定であることを疑う者はないであろうが、『紛寄論』が成立した当時は、これら一〇名の鍛冶を正宗門下と信じて十哲と称していたことが知られる。

『紛寄論』の内容で注目されるのは、使用している文字に独特の造り字が多いことであるが、『粉寄論』の著者が、なぜこのような難解な文字をわざわざ使用しているのかという点については、いろいろと論がある。私見を述べれば、当時は一部の人々の間で、一国一人の伝授などということが、まだ真面目に考えられていた時代であるため、その時代の目利きの頭から一子相伝とか門外不出の秘伝といった考えを払拭するということは考えられないことであったと思われる。その証拠に、残された当時の伝書を見ると、奥書に他見・他言を禁ずる旨の文句があるのが常識になっている。しかし、この他見・他言を禁ずるという制約は、いったん伝授してしまえば、有名無実の存在となりかねず、それを防ぐために考え出したのが、その難解な造字であったと考えるのが自然であろうと思われる。

したがって、『紛寄論』以外にもこの造字を使用している伝書があって、『解紛記』などでも『紛寄論』と全く同一の造字を使用している。伝書の内容を秘すために、わざわざ造られた文字は一種の暗号であり、知らない人が見てもさっぱり分からない。しかし、いったん造字の秘密を知ってしまうと、これを読むのは簡単である。

造字のなかで、一番多いのは、例えば刀ならば力多ナという、片仮名と漢字を組み合せて「⿰カ⿱多ナ」一字にして、これを「かたな」と読ませるような造字法である。このようにいくつかの文字を組み合わせて一字にして、⿰正目と書いて柾目と読ませたり、⿺乁直と書いて直刃と読ませるものなどは、じつに簡単な暗号である。少々難しいかと思うものでも、性を色と読ませたり、⿰チ性を地色と読ませ、あるいは煮を沸と読ませるなど、文字の持つ意味と読みに共通するものがあるので、何とか判読できそうである。しかし『解紛記』に使用しているような「乀」を刀、「ノ」を脇指というものなどは、いくら文字を見ても分からない。『紛寄論』で使用されている造字には、ほかにも以下のようなものがある。

刀＝⿰カ⿱多ナ、⿱⿰カ多⿰ナ阝
脇指＝⿺辶多、腰指
体佩＝⿰⿱多八弁、⿰タ弁
鍛＝銖、⿰⿱ク夫羊
色＝性
地色＝⿰チ性
匂＝⿱⿰ク当弁、⿰ヨ⿱亠弁

沸＝〓

地肌＝〓、〓、〓（多を田にするものもある）

板目＝〓

柾目＝〓

焼刃＝〓

塩相＝沐逢

直刃＝〓

のたれ＝〓（またはみだれとも読ませる）

帽子＝〓

目利＝目察、掤

正真＝正身

偽物＝不正身

だいたい右のような字が『紛寄論』に見る主な造字で、江戸期の写本などにも、たまにこの文字を使用しているのを見ることがある。

本書が成立する由縁については、慶長十七年（一六一二）の三木長久本と天理図書館の慶長古写本、寛永十五年（一六三八）の丹羽三郎左衛門本などの奥書で明らかにしているが、この著者が本阿弥家の者であったとすると、本阿弥家の立場を示唆するのではないかと思われる文字もあり、以下に全文を紹介する。

右之一帖古傳《ヲ》論議尤世間嘲《ノリモ》雖レ可《キト》レ有《ル》レ之　古流《ノ》教《ヘハ》皆同支一《ヲ》作宛《ニ》持返《タセリテ》レ愚《ニ》不二基《ニ》行《ハ》一其上作々《ノ》自前迄依《ヲリテ》レ正《スニ》　他《ノ》紛《レ》多《ク》當《リ》不定《メニ》當気《ニ》不レ相故《ニ》此集《ハ》愚身見《ル》度毎《ノ》中　外《アタリハズレヲ》　日記《ニ》付《ケ》置《キ》　互《ニ》紛《レ》行方《ヲ》分《シ》別《チ》則紛寄論《ト》名付《ケ》筋々《ヲ》分《ケ》其外《ノ》不レ寄二遠近《ニ》一寄《セテ》二紛作《ル》々《ヲ》一所《ニ》一論去《シリテ》二同支迷《ヒヲ》一勝《リ》レ實《ヲ》是編立《ヲツ》者也」

この奥書に誌しているように、この著者は旧来の刀剣鑑定方法に満足できず、自分が見た刀を、秘かに独自の鑑定方法で鑑定し、その都度の当たり外れの結果を日記に誌して後日の参考とすべく備えたものを基にして、紛れやすい系統の作をそれぞれ一つにまとめ、そのなかで個々の違いを明らかにしようとした。「まぎれやすい作をよせて論じた」から『紛寄論』と名付けたわけで、著者蔵本の慶長古写本にも紛寄論の題名に朱で「まぎれよせの論」と仮名が振られている。

『紛寄論』の内容は、室町中期以前の刀剣伝書が国ごとに、あるいは名乗別に単に鍛冶名を羅列する方式をとっていたのに比べ、新機軸を出したといってもよいであろうと思われる内容で、刀鍛冶を作風によって大別し、さらにそれを個々の鍛冶に小割して説明するという方式をとっているため、近代的な総論、各論、あるいは大分類したものをさらに小分類するといった合理的な分類方法になっており、従来の編集方法から見ると大きく進歩している。刀剣伝書がこのような分類方法を採り始めるのは室町末期以降であることから、このような分類方法は元亀・天正以前にさかのぼることはまずないであろうと思われ、『紛寄論』

の成立は元亀（一五七〇～七三）・天正（一五七三～九三）を上限として、慶長十年代も初めごろを下限とする間であろうと推定される。

昔から『紛寄論』の著者ともいわれている本阿弥光徳は、本阿弥家の九代目で、諱《いみな》は益忠、天文二十三年（一五五四）生まれ、元和五年（一六一九）七月二十日、六十四歳で没しているため、『紛寄論』の著者として年代的には全く無理がない。『紛寄論』の奥書に「古流の教は皆同じ事を云々」と誌しているのを見ると、この著者は明らかに古い時代の権威に対し挑戦する姿勢を見せている。これが古い権威ともいうべき竹屋系の鑑定家に対する、新興鑑定家として興隆してきた本阿弥家の心構えであったとすれば、この著はまさに本阿弥光徳の作であると考えることができよう。

『文明銘鑑《ぶんめいめいかがみ》』

『文明銘鑑』と呼ばれている数種の伝書のうち現存するものには、文明十年（一四七八）の「静嘉堂文庫本」と、文明十六年（一四八四）の「剣掃文庫旧蔵本」がある。静嘉堂文庫本は、奥書に「文明十年二月十七日、右衛門尉藤原常民書《ク》ㇾ之《ヲ》。本右衛門三郎代付也。未《ダ》ル二見《ルニ》及《バ》一銘ヲハ代不ㇾ及《バ》ㇾ付《クルニ》ト云」とあるので、福永酔剣氏はこれを「常民本文明銘鑑」と名付けておられた。もう一つの剣掃文庫旧蔵本は、現在刀剣博物館の蔵本となっており、この本については、福永氏は「乗養坊本」と名付けておられたが、旧所蔵者の村上剣掃氏は「佐々木道誉本」と呼んでいた。ともに本書の奥書に「于時文明十六暦霜月十三日、山門北谷八ア（部）尾於《テ》二乗養坊客殿《ニ》一書《ク》レ之《ヲ》、此本事ハ御屋形様従《リ》二御蔵一出《デ》、導誉之御本也。其後箕浦備中入道崇栄数々他本ト校合、珍銘等入《レル》レ之《ヲ》者也、彼後亦秀雄連々他本ト校合、只今延暦寺所々《ノ》秘本借《リ》レ之《ヲ》、猶以《テ》従《リ》二京都一公方衆等召寄《セ》見合《ワセ》、珍《シキ》子細加《フ》レ書《キ》レ之《ヲ》早。可《シ》レ秘《ス》レ之《ヲ》」とあるところから、福永氏は、この本が書き写された比叡山延暦寺の乗養坊客殿から採って「乗養坊本」と名付け、剣掃氏はその原本が佐々木導誉の所蔵本であったところから「佐々木導誉本」と名付けられたわけである。

この『文明銘鑑』の根幹をなした原本が佐々木導誉所持本であるということは、当然のことながら導誉の生没年を知ることによって、その所持した原本の成立年代の下限がはっきりする。導誉は南北朝の有力守護大名として知られており、一般には「道誉」と誤って書かれることが多いが、自ら署名した名は、本書にある通りの「導誉」である。鎌倉末期の永仁四年（一二九六）、佐々木宗氏の子として生まれ、佐々木高氏と名乗っている。高氏はのちに外祖父宗綱の養子となって京極の家を継いだので、世に「佐々木導誉」または「京極導誉」と通称されており、北条高時に仕えて佐渡守、検非違使《けびいし》となり、高時が出家すると自らもともに出家して、法号を勝楽寺徳翁導誉といっているので、ここから導誉と呼ばれるようになった。

性格は世上に陰険狡猾という評があるように、機を見るに敏で、足利尊氏に謀叛を勧めて、建武の新政権が誕生すると、その政権に加わり、室町幕府が成立すると内談方、引付方頭人、さらに政所執事となる見事な出処進退ぶりで、近江・若狭・出雲の守護職になった。さらに貞和四年（一三四八）正月には高師直《こうのもろなお》について四条畷で楠木《くすのき》正行《まさつら》を滅するなど活躍して、その後に上総・飛驒・摂津の守護職を加えたが、高師直の死後は専権不遜の行動が多く、他の有力武将の反発を買った。

その反面では茶、香、花、猿楽などの理解者として知られており、自らも「立花口伝大事」の著述を遺しているほどである。このように文化人としても出色の導誉であるから、所蔵する名刀も多かったとみえて、現在御物となっている「導誉一文字」の所持者として剣界に知られている。

導誉は応安六年（一三七三）八月二十五日、近江国で七十八歳で病死していることから、導誉が所持していた『文明銘鑑』の原本は、その成立の下限が応安六年以前であったことが明らかであり、その内容から推測すると、おそらく鎌倉末期までさかのぼるものであったのではないかと思われる。導誉所持の伝書が、導誉からその末裔である近江国守護の京極佐々木氏に伝えられていたことは、奥書の「御屋形様の御蔵より出る」という記述からも知られ、また間違いやすい「導誉」の名を正しく書いていることもこれを裏づけるものといってもよいであろう。

近江守護家に伝来したこの伝書は、その後、江州の箕浦備中入道崇栄によって各種伝書と校合され、必要な箇所が補充され、その後もまた秀雄という者が暇にまかせて他本と校合し、さらに延暦寺所蔵の秘本や京都の公卿の家に伝わった伝書を取り寄せて照合、加筆したものを、文明十六年（一四八四）一月になって比叡山乗養坊の客殿で筆写したものが現存本の原本であったことが、奥書によって知られる。現存本はこれを天正十六年（一五八八）に忠実に写したもので、転写の際に原本の奥書に続いて紙数三枚の追加記事と、「名字抄」と題する銘字を読みによって分類した簡単な辞書のような項目を、紙数にしておよそ五枚ほど追加しており、これに続いて「右一冊字形真草行如《ク》レ本《ノ》写《シ》レ之《ヲ》畢《ハンヌ》、天正十六戊子年卯月吉日書《ク》レ之《ヲ》」の識語で終わっている。

鎌倉末期から南北朝初期にかけて書かれたと思われる導誉所持の祖本というべき伝書が、文明ごろの近江武士であった箕浦崇栄と秀雄の二人によって、大幅に加筆、再編集されたのが本書であるから、その内容はたびたびの加筆や書写を経て、祖本とはだいぶ異なってきていることと思われるが、これは能阿弥伝書がだんだんとその内容が豊富になってゆくのと同じような経過をたどってゆく過程にあったと思われ、この種の伝書としては、むしろ当然のことといえる。

伝書の体裁は美濃版で紙数が墨付で六三枚、室町の伝書としては内容が比較的に豊富である。内容を詳しく見えていくと、まず巻首に「銘尽目録」と題して、一番の「後鳥羽院御宇鍛冶結番事」から三十番の「名剣作名人事」に至るまで、この伝書の内容を三〇項目に分けて記入している。このように合理的な項目別の編集がなされるようになるのは、他本の例に照らしても、室町に入ってからであろうと思われ、この伝書も文明期(一四六九〜八七)に原本に大幅な加筆がなされるとともに、内容の再編集がなされ、現在の形式に改められたものと見られる。

一番の「後鳥羽院御宇鍛冶結番事」は『観智院本銘尽』にいう結番の第二種と同様で、その内容が一段と詳しくなっている。

二番の「後鳥羽院御宇師徳鍛冶名字事」では、鍛冶結番の惣奉行人となっている粟田口久国をはじめ、備中次家・備中貞次・備前宗吉などの結番に入っている鍛冶と、これ以外の備前行吉・備中貞次・同為次・三条吉国・忠国・片山一文字の真則・則房などを挙げて、それぞれの鍛冶について簡記している。なかでも注目すべき記事は、片山一文字を備前鍛冶として分類していることである。

三番の「粟田口鍛冶事」は、鍛冶の個々についての内容が随分と詳しくなっていて、作風についてもそれぞれ簡単ながら触れており、室町末期の伝書とさほど変わらぬほどになっている。また文明までの逆算年号を入れたものがあるが、これは明らかに文明に再編集した時に加えられたものである。

四番の「京鍛冶事」では、宗近・吉家・菊御作や備前三郎国宗などの有名鍛冶については、その逸話や製作した名剣についての記述に、他工の記事と比べて一段と多く費やすという、室町期の伝書によく見られる特色が、この伝書でも見られる。

五番の大和、六番の備前も、大略「京鍛冶事」と同様であるが、備前の部は記事量が圧倒的に多く、紙数にして八枚にものぼっており、備前の部だけで全体の八分の一を占めている。しかし備前鍛冶の数が多いことからすると、この割合は妥当なものであると見られ、この伝書の平衡感覚の確かな編集の一端を示すものであろうと考えられる。備前鍛冶のなかでは、義光にある延文四年（一三五九）十月日の作をはじめとして、南北朝末期の鍛冶が若いほうで、下限は応永元年（一三九四）八月の長船永重や、嘉吉ごろの長船重富である。

備前鍛冶に続くのが七番「備中国鍛冶事」、八番「伯耆国鍛冶事」、九番「筑紫鍛冶事」だが、このなかで目立つのが筑紫鍛冶である。神息・行平・定秀・西蓮・光世・入西・左と有名鍛冶は多いが、このなかで特に目立つのは豊後国行平で、他工に比べて記事量が格別に多く、室町期に行平の人気がいかに高かったかを示している。行平の記事では「行平は、父が記太夫ト申し、異説ニハ行平ハ豊後国岸庄本領主也而、建保年中為《シ》レ訴《ヲ》（詔）上洛ス、其後承久頃相模国由井飯嶋ニ被レ流《サ》」としている。

続いて、十番「讃岐国鍛冶事」、十一番「播磨国鍛冶事」、十二番「出雲国鍛冶事附石州」、十三番「美作国鍛冶事附備後」、十四番「河内国鍛冶事附泉州、紀州」と中小の鍛冶集団が続いたあとに、十五番「陸奥国鍛冶事」となる。室町時代までは、陸奥鍛冶の人気が占める割合が大きく、これを反映して、およそ三頁余にわたって雄安・諷誦・幡房・森房・鬼王丸・月山・世安・文寿・望房・宝寿をはじめとする四三名の鍛冶を挙げている。

十六番は「鎌倉鍛冶事」で、山内鍛冶として国綱・国弘・助真・国宗・則家・家宗・言藤を挙げ、新藤五鍛冶として、国光・国広・行光・国泰・光良を挙げている。その他、沼間藤源次一派として則宗・金重・善行・助光の名を挙げ、正宗一派では正宗・貞宗・大進坊を挙げ、大進坊を正宗弟とし、貞宗については「貞宗備州へ越テハ兼光カ所ニ宿ス、正宗カ弟子ニ成ニヨツテヤ口伝之貞宗ハ兼光ニ似タリ、兼光ハ貞宗ニ似タル由、此子細面白事也」として「此注本イ」としているのは、此注は一本によるということである。

十七番は「美濃国鍛冶事附尾州・参州」であるが、美濃鍛冶は西郡鍛冶・千手院鍛冶・志津鍛冶に並んで、新関鍛冶が加えられており、美濃鍛冶の総数六六人のうち、室町に入っている新関鍛冶が四一人と六割強を占めているのが目に付く。

十八番「遠江国鍛冶事附信州・駿州」、十九番「近江国鍛冶事」、最後が廿番の「越中国鍛冶事附賀州・越前」で国別の鍛冶の部が終わり、続いて廿一番「昔鍛冶事」になっており、天国・実次・藤戸・金山・天藤・海中・宗弘・長光・天霊・国重・神来・神気ら二六人の伝説上の上古鍛冶について記しているが、観智院本では神代鍛冶として八人を挙げているにすぎないのに比べると、一挙に三倍増となっている。

次の廿二番は「不知国鍛冶等事」で、鍛刀地が不明の鍛冶として一〇八人の鍛冶を掲げる。そのなかに吉用・義景・盛景のように備前と注を施したものがあるが、これは一〇八人の鍛冶はいく種類かの伝書を総合してまとめたものであることから、転記の際に、そのなかで住所の判明しているものについては国名も注記したものと見られる。

廿三番は「後鳥羽院御宇廿四人番鍛冶事」だが、これは各月二人ずつの結番鍛冶を充てており、廿四人中備前鍛冶が一三人と圧倒的に多く、残りの一一人は、後鳥羽院を除くと、粟田口一人、大和一人、豊後一人、伯耆一人、美作二人、国不知三人という割合になっている。

続く廿四番から廿六番までが後鳥羽院がらみの記事で、廿七番の「太刀之疵之事」は題目だけで記事はなく、白紙のままとなっている。廿八番が「太刀造吉凶之事」で、吉の日と凶の日に分けて記しており、廿九番「昔鍛冶霊剣作者事」では古来有名な名剣の作者について、四〇本の世上有名な名剣を挙げ、その剣の号と、所持者名ならびに作者名を記している。最後の卅番が「各剣作名人事」で、天国、神息に始まる各時代を代表する六三人の名工の名を挙げていることから、題目の「各剣」は「名剣」の誤りではないかと思われる。

『芳運本弘治銘鑑《ほううんぼんこうじめいかがみ》』

『芳運本弘治銘鑑』は、天文に続いてわずか三年しか続かなかった弘治年間(一五五五〜五八)の銘鑑である。墨付が紙数にしてわずか一七枚という簡単な伝書で、しかも内容が、南北朝期に成立した伝書を筆写したと思われるものである。村上剣掃氏が原本を忠実に模写した筆写本がある。

内容を述べると、巻首は後鳥羽院御宇鍛冶結番で、はじめの一枚が欠失しており、そのために、結番は六月からの後半部分だけが残っている。鍛冶結番に続くのが国別の鍛冶銘鑑であり、この銘鑑の主体部分となっている。

「粟田口鍛冶」と「同系図」から始まって、「京鍛冶」と続いているが、このように室町以前の古い伝書では、山城鍛冶を粟田口椴冶と京鍛冶の二つに分けているものの多いのが目立つ。内容はいずれも鎌倉以前の古鍛冶が主体であり、最も時代の降るのが南北朝期にかかる建武の長谷部国重である。

京鍛冶の次が「大和国鍛冶」で、これに「奈良系図」を付しているが、行平・重弘・則弘・国行・金王・日王・日光・興福寺など、古鍛冶を主にしているのが目立っており、この伝書が成立した時代にはまだ大和五流といった分類法が生まれていなかったことを示している。

大和の次が「備前国鍛冶」で、その内容は名物の太刀ならびにその内容、由緒についての記述が多く、文体も古風で、なかには観智院本を想起するような部分がある。例えば、包平の部分を例示すると「包平秦包平ト云ナリ、一条院ノ御宇任ゼラル二大納言之一ニ、此作少シサキ（先）ホソ（細）ク、シノキ（鎬）ヲスリタリ、中心ウスク、横ヤスリ（鑢）也、中心サキヒラク作テ、卒都婆頭ヲ急ニスリ（磨）タリ、銘ハ目貫ノ上、表ニシノキ（鎬）ノ通打之此作也、是モ秦字ヲハ不レ打也」といった調子である。備前国の記事量は圧倒的に多く、鍛冶系図も含めると紙数で五枚半と、伝書全体の三分の一にも及ぶが、続く「備中鍛冶」は簡単な系図だけで注釈は一切見られない。

備中鍛冶の次が、九州の「筑紫鍛冶」であるが、この箇所では、行平に関する記事の量が圧倒的に多いのが目立っており、筑紫鍛冶全体のおよそ六割から七割を占めている。この行平の重視は、室町以前の古伝書に多い一つの共通点といってもよい。

このあと「伯耆鍛冶」「河内国鍛冶」と続くが、記事量が多いのはここまでで、以降は遠江・三河・讃岐・近江・信濃・播磨・美濃・越中・駿河・備後・和泉の一一国を挙げるものの、国名と代表工名を挙げるだけの至極簡略な内容となっている。

国分鍛冶の最後が「相模国鍛冶」で、国弘・則宗・助真・雲藤・国縄・国光・則家・家宗・正宗・貞宗の名を挙げて、それぞれに簡単な注を施しているが、その大部分が他国からの移住鍛冶であり、南北朝期における鎌倉鍛冶というものに対する見方が示されている。最後が「不知在国分鍛冶」で、その大部分がほとんど伝説上の鍛冶といってもよい上古鍛冶によって占められている。

巻末の識語は、

御教書任《セ》二瓦筆《ニ》一、於不《ル》レ憚《ラ》二嘲《リ》後難《ヲ》一候事 城(成カ)以《テ》二斟酌《ヲ》一存《ジ》候。後見《スル》人者、捐字落字《ノ》仰《セ》御座可《シ》レ有《ル》。所レ
捨《ツル》能《ク》人御分別専《ニ》一存《ジ》候。
于旼　弘治三丁巳年卯月廿九日　　芳運書之

とあって終わっている。

『本阿弥光心押形集《ほんあみこうしんおしがたしゅう》』

現存のオリジナルの古剣書を通観しても、茎、刃文ともに揃った完全な刀剣押形が出現するのは室町末期になってからであり、『本阿弥光心押形集』はその嚆矢といえるものである。室町末期になって、研師ならびに刀装のコーディネーターとして、また刀剣鑑定家として頭角を現してきた本阿弥家の人々が接する刀剣の数は厖大なものであったと考えられるが、そのなかでも幕府の所在地京都にあって、本阿弥の宗家として将軍家や有力武将の御用を承ることの多かった光心が取り扱った刀剣には名品が多く、『本阿弥光心押形集』に所載する刀剣はいずれも名刀揃いである。例えば、『享保名物帳』所載のものだけでも庖丁藤四郎・凌藤四郎・乱藤四郎・親子藤四郎・抜け国吉・鳴狐国吉・不動国行・三好正宗・今荒波則房・千鳥一文字・江雪左文字・大紀新太夫・御鬢所行平の一三口が数えられる。

『本阿弥光心押形集』の内容は押形だけから成っており、国や刀工の部族によって分類するための項目は別に設けられていないが、簡単な注を施したものはある。押形の配置は、刀剣伝書や口伝書と対比しやすいように、国分け、部族別になっており、その順序は他の室町期の伝書に多く見るものとほとんど同じか、あまり変わらない順序となっている。

まず畿内から始まっており、畿内は山城と大和だけであるが、これだけで押形集全体の三分の一を占めており、そのなかでも特に粟田口吉光と来鍛冶に力を入れており、吉光が名物四口を含めて九点、来鍛冶では来国行が太刀で六口、来国俊が太刀、短刀とりまぜて一三口と目立つ。

大和では当麻二字在銘の太刀に「銘ノワキニ兵衛尉ト打」の注を施したものがあり、これは観智院本銘尽に「やまとにたいま（当麻）というかち（鍛冶）あり、せんりんじ（禅林寺）のほうおう（法皇）　たいまへ御まいりありけるに御つるぎ（剣）をたてまつりて　ひようへのせう（兵衛尉）になされけり、実名は知らず　但かまくら（鎌倉）のしんとう（新藤）五はまこ（孫）のかち（鍛冶）なり」とある記述を裏づける貴重な押形である。また包永在銘の脇指で、裏に藤原と切ったものがあり、これは手掻から同じ奈良の藤原に移住してからの代下り包永の作であろうと思われ、居住地を切った例は少なく、これも珍しい資料といえる。

畿内の次が備前国で、備前だけで畿内全部に匹敵するスペースを割いており、当時も現在と同じく備前鍛冶が重要視されていた様子が看取される。このなかでも、兼光の花押のある短刀で「備州長船住兼光（花押）、建武二年（一三三七）十一月日」と全く同じ銘文で、細直刃と肩落ちがかった互の目のものを二口並べているのと、古備前是重在銘の毛抜形太刀は珍しい。

山陽道では備前以外は備中・備後の鍛冶をほとんど付け足しのように記しており、続く相模国では国光を主にして九口載せ、国広・行光・正宗・貞宗・広光については、それぞれ一～二点ずつ載せている。

相模の次に兼氏を三口、そのあとが越中鍛冶で、宇多鍛冶と松倉、呉服の両江で紙数二枚を費やしているが、このなかで目立つのは、今川義元が討死の際に帯していたという、表が鎬造、裏が平造の江義弘在銘の打刀で、裏銘の「越中國松倉住」が残っており、土屋温直の「温直云　義弘也　今加州家ニ有之　尤裏銘計也　江之銘アル物日本国中此一本ニ限ル　今川家討死ノ時帯セラル松倉江ナルベシ」との注がある。

北陸道では、越中以外は加州真景の短刀と藤島家正の脇指をそれぞれ一本ずつ加えて終わっており、これに続く奥州は宝寿が二口で、その次が九州となる。九州は「談儀所西蓮、文保元年（一三一七）十一月三日」の太刀で始まり、左文字一派と行平でその大半を占めており、これに筑紫正恒と古高田友行、延寿一門と光世、波平鍛冶と金剛兵衛で九州物は終わり、その次に山陽道の二王と長州顕国が三口。続いて石州鍛冶と伯耆の安綱、真守の山陰道鍛冶で国別の部は終わり、最後に相州鍛冶の補遺を付して押形は終わっている。奥書は筆太の書体で「弘治二年（一五五六）三月吉日　本阿弥光心（花押）」と署名があり、その署名に続いて土屋温直が識語を誌して、この筆写本は終わりとなる。

『本阿弥光心押形集』の編者光心以降の本阿弥家でも、光二・光悦・光瑳・光徳・光温・光山といった人々がいずれも優れた押形を遺しているが、光心は、本阿弥家中興の祖ともいうべき五代目本光清信の子で、通称を三郎兵衛といい、本阿弥家を上昇気流に乗せた功労者といってもよい。光心にははじめ実子がいなかったため、多賀豊後守高忠の次男、片岡次太夫の次男光二を長女妙秀の婿養子として家名を継がせた。しかしのちに実子光刹が生まれたので、光二は自ら退身して別家を立て、光刹が宗家の跡を継いだ。養子光二の子が有名な本阿弥光悦である。

光心の没年は永禄二年（一五五九）で、二月二日に六十四歳で没している。押形の成立は巻末の奥書に「弘治二年三月吉日　本阿弥光心（花押）」とあるので、弘治二年（一五五六）光心が六十一歳の最晩年になって一応の編集を終えたことが知られる。さらにその内容を検討すると、弘治二年に編集が終わってから、没年の永禄二年（一五五九）までの三ヵ年間にも、めぼしい刀の押形をとると追加していたようで、相模鍛冶の部にある今川家所蔵の無銘正宗太刀には「弘治四年（一五五八）卯月十四日　本阿弥写申也」との注がある。

この本は本阿弥家として初めての著作であるだけでなく、成立年代のはっきりしている押形本として初めて茎と刃文の双方を記録した画期的な本でもある。原本の所在は不明であるが、調べてみると、静嘉堂文庫に土屋押形の編者土屋温直の筆写本があり、同本の巻末の識語によると、この押形は元来巻子物であり、江戸時代末期に豊田氏が所蔵していたものを堀田氏が模写し、さらにこれを文政十二年（一八二九）十月に土屋温直が筆写したものであることが知られる。

『本朝鍛冶考《ほんちょうかじこう》』

『本朝鍛冶考』は、『新刀弁疑』の著者として名高い鎌田魚妙の晩年の著作である。寛政八年（一七九六）九月初版。構成は一八巻、一二冊で、各冊に十二支を配して子から亥までの一二冊としており、江戸期の刀剣書としては最も冊数が多く、内容も刀剣全般にわたっており、広範囲にわたる記述は他の剣書に比べて異彩を放っている。

内容からいうと、最初の子の冊は序文、凡例、引用書、目録、索引などが主なもので、そのなかの凡例では、刀剣および鍛冶全般についての予備知識とでもいうべきものを述べている。丑、寅、卯、辰と本書のおよそ三分の一を占める鍛冶系図は、主要鍛冶の生没年等についていかにも詳しく誌しているが、信憑性の低いものもあって、あまり信頼すると危険である。

次の巳冊は、内容の面白さということからすると一番面白い冊で、「令義解」「延喜式」「武備志」などのなかから刀剣に関する記述を紹介したり、刀剣用語の理論的な解説を試みたりしているのは新鮮で目新しく、また僧周鳳の『善隣国宝記』から足利幕府代々の将軍が対明貿易にあたって贈答品として贈った武具類の種別や数量を抜書して紹介したり、宋の欧陽明による「日本刀歌」を載せたりと内容が変化に富んでいる。

さらに諸国鍛冶についての異説を集めた項もあって随分と面白い説を載せている。例えば、来国俊については六度の国俊ということをいっている。

六度ノ国俊トハ来太郎国行初二字ノ国俊参内シテ来ヲ頂戴シテ来国俊ト銘。
二代目国俊孫太郎ト号ス、参内シテ後ハ来国俊ト銘ス。
初代来太郎父子ノ作紛ルヘシトテ来ヲ除テ又二字ニ国俊、又ハ国行トモ銘。
孫太郎ハ父来太郎ニ先テ死スル故　父又来国俊ト銘。
同人ノ老後　近江国外津《(ママ)》ニ住シテ、又ノ銘源来国俊ト銘ス。
同人同国ノ坂本ニ住シテ根本中堂来国俊ト銘。

このように来国俊には六種の来国俊がいるということであるが、諸国の鍛冶についてもそれぞれ当時の異説をいろいろに載せている玉石混淆で、なかには随分と珍妙な説もあるので、下手な小説を読むよりは面白いのがこの巳冊である。

午冊は「刀剣形制」「銑、匂、膚」「鉄替五鉄」「刀剣新古勝劣」「刀剣血漕彫物刃文」に続いて国分の鍛冶伝書である。鍛冶伝書は、午冊の大和国から始まって、未、申、酉と続いて、戌冊で終わっており、最後の亥冊は諸国鍛冶の遺漏備考と魚妙の撰による「舗語」から成っている。

『本朝鍛冶考』のおよそ半分を占める鍛冶伝書は、実際のところさほど目新しい記述もなく、目利きのための教科書としては格別にとりたてていうほどのこともない。しかし、伝書の文中にちりばめられている魚妙の評言には傾聴すべきものが見られる。

この本で、注目しなければならないのは、午冊の「銑、匂、膚」に載せている刀剣用語の名称の多様さである。載せられている名称は、銑、匂についての名称が四〇。地肌に関する名称が五〇。刃文については一一三ヵ条の名称を掲げる。その他銛子の名称が五〇と、総計ではじつに二五九ヵ条にのぼる多数の名称を挙げている。

このように刀剣細部の名称の数が多いのは、鍛冶考のなかでも「解しかたき言も多し、取捨有て可成べし云々」と述べているように、寛政のころすでに使用されず死語となっていた名称をも参考のために挙げたからということもあるが、やはり当時の人々が刀剣を鑑ずる時、いかに精緻な観察をしていたかを証するものといえる。現今の我々は、とかくものごとをできるだけ単純に割り切って処理するのが機能的と錯覚しがちであるが、人間と火の合作によって生まれた刀剣のもつ美的分野には、誠に玄妙で不可思議な面があり、単純かつ明快に割り切れないのが魅力の一つともなっていることから、古人が名付けた刀剣用語のじつに文学的な表現のなかに、現代の我々が忘れたものをもう一度振り返って見直してみる必要があるのではないだろうか。

『本朝鍛冶考』に載せている名称の大略について述べると、まず沸については現代とは比較にならない精密な分類が示されており、例えば、
目当《まあたり》＝沸が多くて地も刃も区別できないほどよく沸えることをいい、相州物に多い沸。

銛二友＝乱刃の太いところは沸が多く、小乱れのところは沸の少ないことをいい、これを友に従うともいう。元来は山城鍛冶に見る特徴の一つに数えられていたもの。

などがあり、その他に絶間・水泡・霜銛・地ノ露・糸引沸・砂子など多くの名称を載せている。

地肌の名称も、梨地・杢肌・板目肌・柾目肌・松皮肌・渦巻肌・澄肌・鯰肌のように現在でも使われている名称の他に、菅巻肌《すげまきはだ》・金肌・砂流肌・筍肌・白髪肌など多くの名称がある。例えば、菅巻肌というのは山城物によく見る肌で、菅糸のもつれたようになった肌をいうが、これは杢肌の一種と考えてもよかろうと思われる。白髪肌というのは、堅い鉄と柔らかい鉄の混じりあった一種の柾肌で、波平鍛冶の一部や入鹿鍛冶などに見る肌であり、地肌の色が総体に白気たなかに黒い線状の異なった地鉄が何本か交じっているさまは、白髪のなかに黒髪が交じっているように見えるところから付けられた名称で、別名を白黒肌ともいう。

刃文の名称は、重花の刃・逆足刃・丁子刃・袋丁子・玉垣・節刃《ふしば》・腰刃・矢筈刃・茶花の乱・逆足心・

湾れ乱など、現代でも使用している名称もあるが、

山路の刃＝のたれごころになった刃に太いところと細いところのあるのが山道を見るようだと名付ける。

三吉野心＝重花に似た刃で、乱れに匂いのないものをいう。

松の葉＝乱れの内から地に向けて細かく松葉のような沸筋の出るものをいう。

老薄《おいすすき》＝先で多く乱れる刃をいう。

浦の波＝のたれ刃の一種で、地刃の境が磯へ浪が打ち寄せたあとの砂のように光ってはっきりとしているものをいい、大波、小波といろいろの湾れがある。

秋萩露《あきはぎのつゆ》＝本刃がのたれか小乱で、先が次第に大乱れになるものをいい、必ず玉焼がつかなければならない。

古道の乱＝重花丁子のなかで、一部の刃が小乱れやのたれになって、重花の見られないところを古道という。

など、古伝書にはあるが現在は死語となっている名称も数多く挙げられている。

また帽子については、台尻・丸帽子・井堰・滝落・突上・虎の尾帰・掃上・火焔頭などのほかに、例えば、

前さがりの地蔵＝帽子が細く丸く、刃方に寄せて返るものをいう。相州物に多し。
木の股＝股木ともいうが、帽子の返りが長く、木の股のように角のある帽子で、大和、美濃に多く見る。
村雲＝帽子の内が湯走りで沸のむらむらとしたものをいう。相州物に多し。
二重《やえぼうし》＝帽子の先が沸えて、二重に見えるものをいう。
大洲定《おおしまやき》＝三つ頭の内で刃が太く、乱れが激しくて、先へ洲の出るものをいう。九州物に多し。

などの名称を挙げられる。

このような刀剣細部の名称が、総数で二六〇もあると、なかにはその名称がどのようなものを指していたのか、はっきりしなくなったものもあり、これら不明の名称については、古伝書等とも突き合わせて、早急に解明しておく必要があろう。また、古人が刀剣を深く観察した結果として生まれてきた、これら多くの名称については、現代の我々がもう一度考えてみる必要があるのではないかとも思われる。

しかし一方で、なかには現代の目で見て明らかに怪しいと思う記述も少なからずある。例えば第一巻で挙げている引用書目のなかに、明らかに偽書と思われる元徳の『本阿弥女伝書』があるが、このような本あるいは根拠のない俗説に基づいて書かれた内容が各冊に散見され、これらの記述が本書の総合的な評価を著しく低下させており、まことに残念である。

著者の鎌田魚妙は、当時江戸で神田白龍子以来の新刀研究の第一人者として評判の高かった人物である。同時代の刀剣鑑定家として知られていた荒木一適斎も、『新刀弁惑録』（寛政九年刊、全二冊）の中で、鎌田三郎太夫魚妙ハ明和ノ比　京都ヨリ東武ニ来テ河越侯ニ仕へ故有テ外桜田辺ニ暫住居シ近来麻布百姓町霞ノ稲荷ノ辺ニ移住ス　積年新刀ヲ好ンデ其名高名タル事世人ノ知ル所ナリ
安永八年丁酉新刀弁疑五巻ヲ著ス所ニ刻成テ意トセザル事有リト云テ　安永十巳亥再新刀弁疑七巻附録一巻ヲ著シ　先彫ノ誤リヲ除キ　殊ニ銘形ト見分ケ方ハ三部ノ銘鑑ニ越エテ卓見等モ有　又鍛煉研法等ヲ委シク誌シ其他系図等モ略著セル事ハ実ニ広識ト謂ベシ　是白竜子後ノ一人ナランカ
然レドモ偏論モ有ル故ニ其善悪ヲ略評スル者ナリ　見ル人コレヲ察セヨ

と誌して、魚妙の新刀研究に敬意を表している。

この魚妙は安永から寛政にかけての刀剣界を代表する一人として、江戸期における新刀研究に新機軸を出し、新々刀期の鍛冶たちに大きな影響を与えている。魚妙の経歴を述べると、伊予国大州藩内の櫛生村で神職の次男として生まれ、若年のころ京都に出て烏丸家に仕え、のちに江戸に移って川越松平家に召し抱えられて留守居役に抜擢されたといわれており、戦前の『刀剣と歴史』に名古屋の刀屋伊勢惣が「鎌田はもと三石さんだげな」と語っていた、ということを書いてある。この三石さんというのは、公家に仕える青侍のことである。武家奉公の侍と違って公家勤めの侍は年俸が安く、だいたい年に三石というのが相場であったところから、京都の庶民は青侍のことを三石さんと蔑称していたが、いつのころからか寺侍や公家侍の別称となっていた。

魚妙の刀剣研究は、おそらくこの在京時代に始まったものと思われるが、研究熱心な魚妙は、江戸に出てからは実際に鍛錬の修業までしており、その師は当時神田に住んでいた谷田金五衛門保則であったようである。『刀剣武用論』でも、

一、水心子曰　銘鑑などあらはす程の者は素人といへども目利は達人也。いづれの銘鑑にも上作なる物は上作と記し、下作を上作と記したる物なし。然れども自ら刀剣を鍛えざれば鉄性に委しからず、只折れ曲がりの穿鑿薄き故也、中にも鎌田氏勝れたる也云々。

と、水心子が魚妙の鍛錬に関する鑑識眼を誉めている。

魚妙の出版のなかで代表的なのが『新刀弁疑』であり、安永六年（一七七七）の五冊本から安永八年（一七七五）の九冊本まで数版出している。また魚妙の最後の刊行が『本朝鍛冶考』であり、奥書の年次は魚妙の没する前年の寛政七年になっている。魚妙が没したのは鎌田家の善提寺であった江戸の西応寺の過去帳によると寛政八年（一七九六）十二月十二日であり、「浄信院照誉智寛居士魚妙　寛政八年丙辰十二月十二日」とある。

『本朝鍛冶考』は、『古今銘尽』『古刀銘尽大全』に続いて出版された古刀について書かれた刀剣書で、流布本のなかでは『古今銘尽』『古刀銘尽大全』に次いで読まれたベストセラーであり、昔は愛刀家の書架には必ずといってよいほどに見かけられた。『本朝鍛冶考』の初版が出されたのは、著者の鎌田魚妙が亡くなった年の寛政八年九月であり、水音舎蔵版となっていることから、魚妙の私家版であったようである。

魚妙没後四年目の寛政十二年（一八〇〇）八月になると、江戸の須原屋茂兵衛、大坂の扇屋利助、それに京都の勝村治右衛門と今村嘉兵衛の四名が共同で再版を出している。寛政十二年以降の版としては、大坂の河内屋徳兵衛と近江屋平助によって出された嘉永四年（一八五一）五月の補刻版があるが、そのほかにも明治二十九年（一八九六）八月に、摩滅した箇所を補刻した前川文栄堂版が出され、大正になると松山堂の藤井利八によって数種の松山堂版が出されている。また刊記は初版の寛政七年（一七九五）秋七月の部分を残したままで天保ごろに刷られたと思われる天保の後刷本や、明らかに後刷と思われる本で表紙や用紙の精粗で大きく異なっているものなどもあることから、天保刷以外にも後刷本が相当に出ているものと考えてもよく、全体からいうと相当の部数が出まわっているものと思われる。

『本朝新刀一覧《ほんちょうしんとういちらん》』

今村幸政著。弘化二年（一八四五）刊。体裁は三切の横本。江戸時代に新刀と冠した剣書は、この『本朝新刀一覧』が出されるまでに異本も含めて一五、六種類出版されているが、それらのなかでも『本朝新刀一覧』が出色の剣書であると評される。所載する刀工一千五百余名に関する記述は、当時としては非常に高度な内容で、現代においても通用するものが大部分である。

なかには昭和に至るまで銘鑑洩れとして欠落していた刀工も収録しており、資料価値が高く、しかも刀工名の上に一から九までの数字を記して、刀工の作位を表しているのは親切で、当時大いに重宝されたと思われる。ただし、この数字による刀工位列の表示は、時代によって好みが変化することがあり、この変化に従って価値評価もまた異なってきているので、現在の評価とは若干違っている。これは当然のことであり、むしろこの本が著された天保（一八三〇～四四）・弘化（一八四四～四八）ごろの好みを知るための好資料と考えるべきであろう。

著者の今村幸政については、確としたことは判っていないが、巷間伝えるところによると、京都の人で家職が研師《とぎし》であったといわれる。京都の人であったことは、著書の序文にも「平安　今村幸政識」とあるし、本阿弥十三家の一人である本阿弥市郎左衛門忠僱が京都で本書の序文を書いているので、まず間違いがないものと思われる。研磨を家職としていたことも、本阿弥家との交流からみてうなずけるが、研師のうちでも相当以上に有力な存在であったであろうことは、村上剣掃氏旧蔵の『本朝新刀一覧』に掛かっていた発売当時の袋紙に「今村上総少掾平幸政」と受領名が刷ってあったことからもうかがえる。

幸政が研師としての手腕をもつだけでなく、刀剣研究に熱心であったことは、著者が所蔵する二冊本『新刊秘伝抄』の奥書に「寛政四歳（一七九二）秋九月写　幸政（花押）」とある筆写本や、『冶工銘集志』と題する幸政自筆のメモ帳に、刀工の作風・特徴や系図、金工の特徴や系図とともに名剣の氏付・寸尺・所在等の詳細な記事があるのを見れば、容易に推測される。『冶工銘集志』に収められている北陸鍛冶の系図は、銘鑑は当時幕府に提出した報告書を底本としており、当時としては第一級の好資料であったはずである。奥書の跋文は文政三年（一八二〇）秋に薩摩の五代秀堯が書いているが、幸政の交流範囲がいかに広範囲にわたっていたかを示すものといえる。

本書の出版は弘化二乙巳年（一八四五）十月であったと思われるが、跋文のあとに「天保九戊戌年二月刻成平安　今村礼政蔵板」とあるので、天保九年（一八三八）に初版が出された可能性はある。しかしこれまで天保九年版はもちろん、弘化二年版より古い版は確認されていないので、弘化二年十月版が初版と考えてもよいのではないかと考えられる。本書は文政三年秋に本阿弥忠懽の序文と五代秀堯の跋文をもらい、文政四年（一八二一）八月に著者が凡例を誌し、天保九年二月に刻が成っているので、この間がじつに一八年となる。さらに発売に至ったのが天保九年から数えて七年後の弘化二年とすれば、『本朝新刀一覧』は前後二五年間をかけての出版であり、これに原稿執筆の期間を含めると、まさに幸政にとって畢生の書というべき著述であったと考えられる。

『本邦刀剣考《ほんぽうとうけんこう》』

榊原香山著。寛政七年（一七九五）初版。全一冊の小型本で、体裁は縦二三センチ弱、横一六・二センチで、紙数は序文六枚、本文四四枚で合計五〇枚。およそ一〇〇頁の本である。表紙は空色の地に紗綾形文様を押し出した厚い縮紙を用いており、表紙の色は刊行の都度変えていたのか、さまざまな色が見られる。

『本邦刀剣考』は寛政七年正月に江戸の西村源六によって初版が出されてから、何回も版を重ねて出版されたものと思われ、伝本も多く、昔はどこの和本屋に行っても必ずといってよいほどに置いてあった本である。内容は、求版本を出した須原屋茂兵衛が、求版本の包紙に、此書ハ天文弘治以来　上古よりさげはきたる太刀を廃して　今の刀脇指を腰にさす事の便利なる訳を記す趣意にして　今公家　武家にて用る儀仗の太刀の事を始にしるし　扨中古戦国に用いし刀の寸尺拵之幷脇指小サ刀笄小刀の名目　古書に見えし出所　鍔下緒の利用をしるせし書なり　千鐘房主人識（印）

と刷っているのを読めば、その概要が明らかである。なお、この包紙は須原屋が求版本の最初期に包んだもののようで、ほとんど現存せず、求版本のほとんどは、この包紙をそのまま表紙裏の見返しに使っている。

本文は公家之儀仗、兵仗太刀之事として、公卿の太刀にも儀仗と兵仗の別があることを弁じ、儀仗太刀三品之図として儀仗太刀三種の絵図を載せて説明を加え、続いて兵仗太刀として野太刀や出土刀剣の図に注を施したあと武家の鞘巻太刀について論じている。そのほか太刀から刀に変化したことについて論じ、さらに戦場で刀を用いる時の心得、脇指のはじまりや小サ刀について、「刀脇指下緒之事」「笄小刀の事」「古の太刀寸尺の事」「中古ノ刀寸尺之事」「刀の鐔之事」「刀試之事」「武家之外刀ヲ禁制之事」などの項目について、それぞれ論じているが、同じ考証家であっても伊勢貞丈とはひと味異なった論述をしていて面白く、参考になる。

また序文を見ると、まず香山の自序が安永八年（一七七九）孟春（正月）となっており、赤穂の鯰江拙斎の序文が天明元年（一七八一）十一月であることから、香山の執筆が終わってから二年後に拙斎の序文を付したことになる。さらに香山と同じ江戸の儒者である山本北山（山本喜六信有）に校閲と序文を頼み、この北山の序文が出来上がったのが、じつに寛政五年（一七九三）十月、香山が執筆を終わってから一四年を経過して、ようやく版木の彫りにとりかかろうとしたのである。

著者の榊原香山は、江戸の儒者で、考証家としても知られているが、武家の古実や、武器・武具の製作・利害について明るく、精細な考証を得意とした人である。名は長俊、字は子章、五陸香山とも忘筌斎とも号しており、寛政九年（一七九七）十一月廿六日に六十六歳で没したと伝わるから、寛政七年（一七九五）に出版された『本邦刀剣考』は、香山最晩年の著作ということになる。香山は『本邦刀剣考』のほかにも『軍器要法』や『中古甲冑製作弁』『本朝刀剣製作疑惑弁』などの武器・武具に関する著作を遺していることから、武器・武具の考証に相当な力を注いでいたことは明らかである。

『本邦刀剣考』はそんな香山の著作のなかでも最も読まれた一冊であり、香山の代表作であるといってもよい。初版が出されたのは寛政七年正月である。求版本である須原屋本の包紙に「寛政甲寅（六年）仲冬（十一月）鐫」とあるのをとらえて、初版は寛政六年（一七九四）冬刊行といっている人もいるようだが、寛政六年十一月刊行という版は存在しない。それより二ヵ月後の寛政七年正月に出された、江戸本町三丁目の西村源六版が初版である。この西村版の刊記には「寛政七乙卯春正月　東都書肆　本町三町目　西村源六」とある。続いて香山没後の寛政十年（一七九八）四月に須原屋茂兵衛の求版本が出されたが、内容は全く同じで、加除、訂正は見られない。刊記は「寛政七乙卯春正月発兌　同十戊午四月求版　東武書林　須原屋茂兵衛」となっている。この求版本以降もたびたび版を重ねていたようで、現存の『本邦刀剣考』を見ると、寛政七年版、同十年版以外の異版が見られる。これらの異版はいずれも刊年が不明であり、出版元も江戸だけでなく、京都でも出していたものとみえて、京都の書肆須磨勘兵衛の版の刊記は「皇都書林　富小路通三条上ル町　弘間堂　須磨勘兵衛」とある。

『三好下野入道口伝《みよししもつけにゅうどうくでん》』

武家目利の雄として有名な三好下野守康政の伝書で永禄期の成立と見られる。『三好下野入道聞書』とも題される。

内容は分かりやすく、三好下野入道が口述したものを弟子が筆録したものといわれる。和鋼博物館に所蔵されている。

『銘尽秘伝書《めいづくしひでんしょ》』

寛永二年（一六二五）に初版。慶長以降、一度に数百冊を刷るような、当時としては大量の出版活動が行われるようになり、その刀剣界における記念すべき最初の出版物が『銘尽秘伝書』であった。

内容は初版の寛永二年版は上下二冊に分かれており、上巻は『銘尽』で「後鳥羽院御宇番鍛冶之次第」に始まり「主要鍛冶の系図」「近代之鍛冶上手之分」に続いて「諸国同銘其外頭字寄分」とした鍛冶の名寄せで終わっており、文字通りの銘尽である。下巻は『秘伝書』で、巻頭に「刀の上中下の事」「地はだ板目・柾目の事」「刀のきずをしる事」を載せ、刀の疵として、わかき物・ほうじ物・ゆちがい・ほやけ物を挙げている。下巻の主要部分である「大方刀の国かたぎるしる分」は、巻末の跋文にもあるように、諸家の秘伝を集めて編集したもので、京、大和、関、鎌倉、備前、備後、備中、伯耆、筑紫の国々の主要鍛冶六一人について、割合に正確な茎絵図を掲げて、作風や特徴の見どころを述べている。現代においても刀剣書としての基本図書ともいえる大切な刊本であり、本書が江戸期に鑑刀の指針として人気を博したのもうなずける。

上流社会の一部を対象に出版された私家版に比べると、この『銘尽秘伝書』は、紙質は薄くなっており、刷りも最良ではないが、これは流布本としての性格上やむを得ない妥協であったろうと思われる。しかし内容は一段と進歩しており、従来の私家版による出版物よりは、より詳しく、正確になっている。

この『銘尽秘伝書』は、内容が充実していたこともあってか、当時かなり好評であったようで、寛永二年の初版刊行以来、版を変え、題名を改めて、再刊されており、出版回数の多いことでは万治四年（一六六一）に出版された『古今銘尽』と双璧をなしている。

第二版と思われるものは同文の奥書に「寛永拾一年三月吉日刊」と記されるものである。第三版は万治二年（一六五九）八月版で、初・二版と同様の奥書に「万治二乙亥年初秋中旬　重刊」とあり、寛永十一年（一六三四）版を再刊したものであろうと思われる。外題に『新刊銘尽』とあるのもあるといわれる。

第四版は寛文七年（一六六七）二月版で、大伝馬町三丁目のうろこかたや（鱗形屋）の刊行。この版は小形本の型式で、書名も『古刀鑑定口訣』と改めているが、内容は『銘尽秘伝書』の下巻をそのままに、版を改めて独立した一冊の書としたものである。外題は『鍛冶秘伝書』で、原題箋には鱗形の文様の下に鍛冶秘伝書と達筆の行書で記している。また奥書の裏の「其家々之集云々」の部分で之の字が抜けているのも、この版と文政四年（一八二二）版にのみ見られる特徴である。

第五版は寛文七年（一六六七）九月刊の松会板で、巻末に「松会開板」の角印を押している。この版は、二月版と異なり、万治版よりわずかに大きく堂々たる大形の二冊本で、万治版までの内容を忠実に再現しているが、書名だけが『銘尽秘伝抄』となって「書」が「抄」に変わっている。寛文七年に刊行されたものは二月版と九月版の二版があるが、この二つの版は版式こそ異なるものの、いずれも紙質が良く、前後六版のうちでは寛文版の紙質が群を抜いて良い。これはやはり寛文という、ようやく豊かになり、余裕の出てきた時代の反映かと思われる。

第六版は文政四年六月の『精撰古刀鑑定口訣』一冊で、奥書に「原本奥書」の印を押して、寛文七年のうろこかたや版の奥書をそのまま再録しているように、江戸馬喰町二丁目の永寿堂西村与八が同書を新刻して再刊したものである。

立命館の富田正二氏は寛永三年（一六二六）版と宝永六年（一七〇九）版があるとされているが、確認はされていない。なお、下巻の内容については、本間順治氏が『刀剣美術』三百号から三百八号にかけて全文を掲載している。

『明徳二年鍛冶銘集《めいとくにねんかじめいしゅう》』

著者は伊勢駿河入道照安。明徳二年(一三九一)の奥書・大永三年(一五二三)の筆写奥書を持つ写本。「細川判」と呼ばれる室町独得の大きさの判である。もとは山上八郎氏の旧蔵本で、古書店にあったものを著者が買い取り修復したものである。著者が本書を見た時に、剣掃文庫旧蔵の『鍛冶銘集』と一脈通ずるものを直感したことと、剣掃文庫本には年月日がないので、これと区別するために明徳二年を頭に冠して『明徳二年鍛冶銘集』と仮題したが、修理が終わって内容を検討してみると、剣掃文庫本と祖型を同じくする同系統の本であることが確認されたので、題名をそのまま残したものである。

内容は東寺の観智院に伝来した銘尽のなかの第三類とされている部分と、本書の前半の内容が全く同じであることから、『観智院本銘尽』の成立にあたって、すくなくとも四種以上の剣書が参考にされているうちの一冊を底本として、これに明徳二年までの新しい知識を加えたものが本書であると考えることができる。観智院本と本書を突き合せてゆくと、観智院本で文脈の通り難いところや、明らかに書き誤りと思われる誤字などが、本書の記述で明らかになるところがあり、本書は剣掃文庫本とあいまって、『観智院本銘尽』の欠を補う貴重な書であるということができる。

巻頭は、明徳本、観智院本ともに「大宝年中鍛冶」の友光、天国、文寿、藤戸の四名から書き出し、これ以降は少々の違いはあるものの、だいたい「和銅年間」二名、「大同年中」三名、「一条御宇」一〇名、「白河院御宇」六名、「後白河院御宇」一二名、「後鳥羽院鍛冶結番」一二名、というふうに、各時代ごとに代表工の名を挙げて、これに簡単な解説を付けている。類本の剣掃文庫本では巻首に「神代弁文武天皇御宇大宝年中以来鍛冶銘集」と題して、神代の鍛冶として天雲、藤戸、天藤の三名を挙げているのが異なるが、このような記述内容の精粗の差は全篇いたるところに見られる。

刀剣書全般に見られることではあるが、当初の形は、観智院本に見られるような簡単な記述であったのが、年代を経るに従って次第に書き足しが多くなってきて、内容が豊富になり、後世の詳しい内容の剣書へと成長していったものと見られる。各時代の代表工のあとは系図で、「粟田口鍛冶系図」を第一に挙げているが、ここで『観智院本銘尽』の第三類に該当する部分は終わり、続いて「来系図」「大和国古今」「古今所々時代不同」「近比鎌倉鍛冶」「備前国古今時代不同少々」「備中国古今少々時代不同」「異説在所不分明物少々」と続き、時代ごとの代表工名だけでは載せ切れない、各地、各時代の有力鍛冶についてその概要を誌し、さらに備前・備中両国の有名鍛冶の銘鑑や、系図では来系図や鎌倉鍛冶の系図を追加して一冊の本としてまとめている。

後半部分にも観智院本の第二類とされている銘鑑部門と重複する内容が多く、本書の構成もまた観智院本と同じく、二種あるいは二種以上の底本となるものがあって、それを編集して成立したものと思われる。「古今所々時代不同」の国盛以下の部分などは観智院本の第二類に含まれている内容と全く同様であり、観智院本と『鍛冶銘集』を比較すると、両書には確かに重複する部分が多く、見方によっては内容にさほどの変化がなく、単調な知識を伝承させるにすぎない本ではないかとも考えられるが、全巻を通読してみると、その間に大きく内容が成長していることに気づかされる。まず、この刀は持主を嫌うとかという迷信的な記述が少なくなって、具体的な刃文や、茎の状態についての記述が多くなっている。このような変化は、類本の剣掃文庫本になると一段と著しくなり、内容が宇都宮三河入道の『秘談抄』に最も近くなってくる。

著者の伊勢駿河入道照安については、当時の伊勢平氏の長であった伊勢貞継の一族であったと思われる。伊勢貞継は、足利尊氏がその子の仮親に指名したほど勢力のある人物で、以降代々、十三代将軍足利義輝に至るまで、伊勢家の嫡流は足利将軍家より子供の仮親として指名されるのが慣習となっていた。照安がこのような勢力をもっていた貞継の一族であったからこそ、貴重な古書を見ることもでき、これを自家薬籠中のものとすることができたと推察される。

明徳本には、巻末の奥書に「明徳二年（一三九一）八月日書レ之、伊勢駿河入道、沙弥照安　在判」とあって、著者ならびに成立の年月を知ることができ、類本の剣掃文庫本には年号がないので、この年号は観智院本が成立した鎌倉末期から、これが筆写された応永までの間における、記載内容の変化の有無や程度を計る物差しになる、貴重な価値ある年号である。

本書の成立時期について、記載の内容を検討してみると、所載の鍛冶は、いずれも明徳以前の鍛冶で、最も新しいと思われる鍛冶が備前秀光・師光といった当時の現代刀工であることから、本書の成立は奥書にある通り明徳ごろと考えられる。もし本書に大永三年（一五二三）の筆写以前の書き込みがあるとすれば、茎絵図と了戒信久系図で、信久系図には信定・定国の名を加えていることであろう。しかしこれも、明徳以前にも同名があった可能性があり、この両名の分が加筆であるか否かについては判然としない。

伊勢駿河入道の奥書に続いて「以テ二伊勢駿州之秘本ヲ一書写也。試厥以テ二晋□本ヲ一令ム二校合セ一。就キ二他本之書写ニ一副《フル》二此本《ニ》一也。公方様之御本と云也」の識語があるが、これによって大永三年に筆写されたこの本が、一本だけでなく、他本とも校合しながら、慎重に筆写されたさまがうかがえる。この筆写が相当な配慮のもとに行われたものであることは、その際に全く異なる他本の中から参考にすべきことを採って書き加えたものについては、はっきりと、「在《ル》二他本《ニ》一間私加《ニフ》レ之《ヲ》」と断って、奥書のあとに別項を設け、二〇余名の鍛冶を載せていることをみても明らかである。最後に筆写年月を「大永三癸未年霜月吉日書写畢」と明らかにしており、以上で『明徳二年鍛冶銘集』の本文は終わっている。

さらにこれに続く巻末に「越中国鍛冶」という項目を設け、宇多鍛冶の詳しい系図を所載しているのは貴重な資料である。通常南北朝以前の古剣書では、越中鍛冶について触れたものがあっても、則重・吉弘（義弘）くらいがせいぜいで、宇多鍛冶となると、始祖の宇多国光ぐらいしか載せたものはないが、この明徳本のように時代の古い剣書の欠を補うために、たとえ後日であっても宇多鍛冶の詳しい系図を載せているものは珍しく、ほかにも永徳元年（一三八一）の喜阿弥本に宇多鍛冶の系図があるが、これも内容からして室町末期頃の加筆と思われるもので、内容は明徳本の追加には到底及ばない。

この系図は、内容が豊富なことで他にひけをとるものでなく、現存する宇多鍛冶系図としては最古で最良の系図ではないかと見られる。系図の内容は、南北期から室町の永正前後ごろまでの宇多鍛冶の主要工について書いており、父子、師弟の関係から俗名、法名、居住地など、貞享四年（一六八七）に加賀藩が調査した際、子孫から提出された「別本　宇多鍛冶系図」と一致する。しかも内容の信憑性が高く、例えば加賀藩の調査では友則の法名を了必としているが、この本では了心となっており、他工の法名と比べると、了心のほうが正しいのではないかと見られる部分がある。

なぜこの本において越中鍛冶だけを特別扱いしているのかは不審であるが、筆跡は本文と全く同一であり、これが大永の筆写の際に書かれたものであることは明らかである。その理由を推測すると、裏表紙に「入鹿住藤原□□」「牟婁郡住本宗□□」と所有者の名前らしきものが書いてあり、これらはどうやら入鹿鍛冶であるらしく、そうだとすれば、同じ大和系鍛冶として宇多鍛冶との交流があったゆえであろうかとも考えられる。

『安田本《やすだんぼん》 長享銘尽《ちょうきょうめいづくし》』

原本は永享二年(一四三〇)筆写。『金剛峯楼一切瑜伽祇経』の紙背に書かれた紙背文書だったものを、書誌学者の川瀬一馬氏が古書店で見出して、これを表裏二枚に分離させ、裏面の銘尽部分を『長享銘尽』と名付けて安田文庫に納めたものである。原本は太平洋戦争時の戦災で焼失したといわれているが、原本から接写した写真がいくつか残っており、国会図書館には昭和十五年(一九四〇)に麹池三吉氏によって原本に忠実に筆写された写本が残されている。

この伝書が長享二年(一四八八)の著作とされているのは、この伝書の中の「後鳥羽院御宇結番ノ鍛冶次第」の頭書に「後鳥羽院ハ元暦元年甲辰八月廿三日御即位也、後元暦ヨリ今ノ長享二年迄三百五年也」とあることから筆写年代が推測されるのと、伝書の内容、筆跡ならびにその伝来等から、その筆写の年代が首肯されるからにほかならない。

内容は室町期の剣書としては、特に古様が強く、記事の内容からすると、祖本となったものが何種類かあって、それを編集して出来上がったのがこの銘尽であったと思われる。そのなかの一つに『観智院本銘尽』の中にも収録されている『正安本』と称されている剣書であったのではないかと見られ、『正安本』の転写本の一つと思われる『鍛冶銘集』と、記事の内容や押形の描写手法がよく似た部分の多いのが目立つ。

『安田本長享銘尽』に所収する鍛冶は、南北朝末期から応永（一三九四～一四二六）ごろを下限とする鍛冶であることから、成立年代がだいたい応永ごろであった可能性が考えられ、そのころに成立した原本が、長享二年に筆写されたものである可能性がある。記述は、巻首に同音の漢字をまとめたものを発音ごとに分類して四頁にわたって誌しているが、これは当時の読者の教育水準からみて、最低限必要な字典の一種ともいえる部分である。

本文は、まず巻頭に鍛冶由来記とでもいうような、日本刀成立以前の上古鍛冶についての記述があり、最初に天神と地神について述べている。

天神については「夫剣ト者神祇之精也雖《モ》レ為《リト》二神道秘蜜愚者不《ル》レ知《ラ》、剣之徳威天現アカメス、未《ダ》天地開白前ニ天神七代トテ御座、是則五形之精也」として、第一神の国常立尊《くにとこだちのみこと》から第七神の伊弉諾尊《いざなぎのみこと》に至る神話の世界の神々について述べており、続いて地神について「地神五代事何モ五行之次第」として、第一神の天照大神から始まって、第五神の彦波瀲武鸕鷀草葺不合尊《ひこなぎさたけうがやふきあえずのみこと》までの五神について述べている。

この中で本銘尽について「昔天祖自《リ》レ天降座《シテ》以来至二テ神武天皇元年一及合一百七十九万億歳ト云、是ヲ全名尽トハ不レ可《カラ》二得心《ス》一、諸大公ノ御所持ノ宝物其見所計ヲ荒々拾集テ書記ス、故《ニ》名付テ私用書ト云、不レ可《カラ》二外見《ス》一」としていることから、福永酔剣氏はこの伝書を「私用書」と名付けておられた。確かに著者自らが「私用書」と称しているのだから、この命名は正当であるが、著者はこの伝書を分類するにあたって、『安田本長享銘尽』のほうがより理解しやすいのではないかと考え、この名称を選んだ。

この伝書の中で、特に目立った特徴は、天神、地神十二代の記述の中に陰陽道の影響が強く現れていることで、この点では江戸期以降の剣書とは、はっきりと一線を劃している。

天地神十二代の神々に続くのが人皇の部であり、初代の神武天皇から人皇三十四代推古天皇に至るまでのことを一三行にわたって簡記しており、推古天皇が告貴元年（五九四）に即位し、（実際は五九二年に即位）この天皇の代に「友光大和国住人天下ノ釼《ノ》為《ル》二祖師一之由被レ下《サ》二宣旨一云々」とあって、推古天皇によって大和の友光が剣造りの祖師に任ぜられた、としており、またこの友光が天国の師であるという説があると紹介し、そのあとに天国・藤戸・実次・神息・武保・宗仲・宗近（三条）・助包・友行・武得・行忍・正国・友成・外藤など、日本刀成立前後の鍛冶一四人を挙げて、茎押形と製作年代や、その鍛冶の造った名剣などについて簡単に誌しており、姿や茎についても記したものもある。

次に後鳥羽院御宇の鍛冶結番について誌しており、この結番は鍛冶が二人で二ヵ月ずつ勤める形式の、『観智院本』でいうと第二種の結番にあたる。鍛冶結番に続いて吉家、秦包平、正恒、信房に加えて、一文字鍛冶として宗景、則宗、助宗、則助の名を挙げ、一文字鍛冶以外の鍛冶にはそれぞれ茎仕立の説明をしており、茎押形を掲げたものもある。

次に「剣ヲ造鍛冶前後不同」で、ここでいう剣を造るというのは、尊称としての剣、すなわち名剣を造った名工ということであり、例えば「国縄鬼丸作」とあるように、それぞれの鍛冶名の下に名剣として天下にその名を知られた名剣の異名を誌す。まず「長円　ウスミトリ作」に始まり、二八工の名とその代表作の異名を挙げ、最後に行平・高平・助平・定秀の四人について、それぞれの茎押形を入れて解説を付しており、これで前半部分が終わっている。

後半部分は国別の鍛冶銘鑑で、「山城国　京中ノ鍛冶平安城　粟田口　京中前後不同」から始まり、「大和国鍛冶」「備前国鍛冶前後不同」「備中国鍛冶次第前後不同」「陸奥国鍛冶次第」「伯耆国前後不同」「河内国鍛冶次第」「播磨国鍛冶次第」と主要国の鍛冶が続いており、このあとは「越前国」「相模国」から「丹波国」までの十五ヵ国を国名だけで分類している。このなかで加賀国の一一人を除くと、その多くは一人から二人ずつの鍛冶について誌しているだけの簡単なもので、相模国だけは三頁近くを割いているのが目立つ。

丹波国の次は「在所不知鍛冶」と題して五九人の鍛冶を挙げており、これに続くのは九州鍛冶の部で、他の銘鑑と異なって、この銘鑑では九州鍛冶を本州や四国の鍛冶と区別して「筑紫鍛冶之事」として独立させ、「豊後国」「筑前国」「薩摩国」「肥前国」「筑後国」に分けた鍛冶のそれぞれについて茎や代表作の名剣について誌し、最後に九州鍛冶の茎押形をまとめて載せて国別銘鑑が終わる。

この国別銘鑑は全部で二九ヵ国の鍛冶について述べているが、そのなかで系図を入れているのは、山城国の粟田口鍛冶と来鍛冶、大和鍛冶系図、備前国では一文字鍛冶と長船鍛冶系図、備中国の青江鍛冶系図、相模国で「近代鎌倉物前後不同」と題する系図と、正宗一門の系図で、総数で八つの系図を載せている。

それぞれの国の鍛冶で目立った記述は「備前国鍛冶前後不同」で、鍛冶の最後に師光・政光・守光などの名を挙げている点で、これらの鍛冶の製作年代が本銘尽所載鍛冶の下限である。

「陸奥国鍛冶次第」では太刀の価格を誌しているのが珍しく、舞草の茎押形に「万疋」と注を施している。本銘鑑で価格を記しているのは、他に神息に「山名殿御腰物如此、万疋」、伯耆の安綱が「万疋」、備前の友成の茎押形に「探題様住(重)代、出来物五千疋」、外藤に「万疋」とあるだけであるが、室町前期における刀剣の評価を知る資料として貴重な記述といえる。

また相模国では「近代鎌倉物前後不同」として、

国宗──国安──国光┬大進坊
　　　　　　　　　├国広
　　　　　　　　　└行光

の系図と、

正宗──貞宗┬広光
　　　　　　└秋広

の系図を掲げているが、室町末期の正宗十哲説などとは程遠い、より現実的な系図である。

国別銘鑑のあとは、刀の見ようの部で、疵の見方と、剣の相生（性）と相尅について誌している。これは剣相の分野で、当時身分の上下を問わず、大いに尊重された迷信である。

最後は東アジア地方の概観で、中国大陸と朝鮮半島の国々について触れ、日本では崇神天皇が剣を造り給うたことや、この天皇の代から剣を二つに割って太刀・刀と名付けたなどの伝説を誌しているが、この部分の記述は、天地十二神の部分の記述と共通する本銘尽独特のもので、他本には全く見られない記述である。

結論すると、この銘尽は、内容の一部に、現代の眼では妄説としかいいようのない部分を含んでおり、まさにそのことが室町の時代を象徴するものといえ、刀剣伝書が近代風に完成する前の風を色濃く遺した貴重な資料であるということができる。

本書所収の刀剣書の所蔵先・アクセス先

書　名	所在図書館・施設	WEB掲載	『国書総目録』所収
新刃銘尽	国立国会図書館、静嘉堂文庫、宮内庁書陵部、東京国立博物館、岡山大学池田家文庫、関西学院大学、京都大学、慶應義塾大学、東京大学、東京大学本居文庫、名古屋大学、早稲田大学、高知県立図書館、宮城県図書館、広島市立中央図書館、金沢市立玉川図書館近世史料館、西尾市岩瀬文庫、天理大学附属天理図書館、［補遺］香川大学神原文庫(一冊)、九州大学、滋賀大学、石川県立図書館、東京都立中央図書館、宮城県図書館、刀剣博物館	国文学研究資料館	○
新刃銘尽後集		国文学研究資料館	○
宇都宮銘尽		和鋼博物館	
永禄銘尽			
往昔抄	刀剣博物館	国文学研究資料館	○
解紛記	刀剣博物館	和鋼博物館	
鍛冶名字考	天理大学附属天理図書館	天理図書館	
観智院本銘尽	国立国会図書館、刀剣博物館	和鋼博物館	
木屋常長伝書			
享徳銘鑑			
金工鑑定秘訣	刀剣博物館	和鋼博物館	
口伝書		和鋼博物館	
元亀本 刀剣目利書	刀剣博物館		
弘治名鑑			
校正古刀名鑑	金沢市立玉川図書館近世史料館、刀剣博物館	金沢市立玉川図書館近世史料館	

WEB掲載：その図書館や施設のホームページに、当該刀剣書が掲載されている(本の概要や写真など)

書　名	所在図書館・施設	WEB掲載	『国書総目録』所収
古今鍛冶備考	〈文政一三版〉国立国会図書館、国立公文書館（旧内閣文庫）、宮内庁書陵部、東京国立博物館、学習院大学（一冊）、京都大学、早稲田大学、東京大学、東北大学、大阪府立中之島図書館、東京都立中央図書館、神宮文庫、前田育徳会尊経閣文庫、〈刊年不明〉慶應義塾大学、早稲田大学、秋田県立図書館、西尾市岩瀬文庫（二冊）、新城ふるさと情報館、［補遺］鹿児島大学玉里文庫、刀剣博物館	国文学研究資料館	○
古今鍛冶銘			
古今銘尽	刀剣博物館		
古今銘尽大全	金沢市立玉川図書館近世史料館、刀剣博物館	金沢市立玉川図書館近世史料館	
可燃物			
上古秘談抄			
新刊秘伝抄	刀剣博物館		
新刀弁疑		埼玉県立図書館（全文閲覧可）	
新刀弁惑録	国立国会図書館、刀剣博物館	国立国会図書館	
長享銘尽	国立国会図書館	国立国会図書館（全文閲覧可）	
天文銘尽			
伝本阿弥光二押形			
刀剣古今銘尽			
刀剣図考	刀剣博物館	和鋼博物館	
刀剣銘尽	刀剣博物館		
刀剣或問	国立国会図書館、刀剣博物館	国立国会図書館	

書　名	所在図書館・施設	WEB掲載	『国書総目録』所収
刀工秋広口伝			
直江本長享銘尽	刀剣博物館	刀剣博物館	
能阿弥本銘尽	刀剣博物館	刀剣博物館	
紛寄論	刀剣博物館		
文明銘鑑			
芳運本弘治銘鑑			
本阿弥光心押形集			
本朝鍛冶考	刀剣博物館	和鋼博物館	
本朝新刀一覧	刀剣博物館	和鋼博物館	
本邦刀剣考	刀剣博物館	和鋼博物館	
三好下野入道口伝	刀剣博物館		
銘尽秘伝書	刀剣博物館		
明徳二年鍛冶銘集			
安田本長享銘尽			

○本書に収録した刀剣書は、所蔵する多くの図書館・施設で貴重書扱いになっています。事前に、当該図書館に連絡して、閲覧できるかどうかを確認してください。

○閲覧にあたっては、史料を正しく保存し後世に伝えていくためのルールやマナーがあります。次のことは基本的な心得として押さえておきましょう。

1. 鉛筆以外の筆記具は使用しない。特に、万年筆・ボールペンなどのインク類の使用は厳禁。
2. 史料は必ず机上に置いて閲覧し、ページは丁寧にめくる。指をぬらさずに、また、指サックは使用しない。
3. 史料を力一杯押し広げない。また、伏せたり、開いた史料の上に他の史料を重ねない。
4. ページを折る、貼紙を剥がす、絵図類の折り目を変えるなど、史料の原形を変えることは絶対にしない。
5. 史料に書き込みをしない。
6. トレース(重ね写し)はしない。
7. 付箋は、糊のついていないものを用い、閲覧後はすべて抜き取る。

○このほか、閲覧の手続きや撮影などの手順などについては、各所蔵先の規定や要項に従ってください。

〔著者紹介〕

得能一男（とくのう かずお）

美術刀剣研究家。昭和8年（1933）、富山県福光町に生まれる。昭和26年（1951）、東京の近藤鶴堂、村上孝介両氏に刀剣鑑定の手ほどきを受け、以降、独自に研究をすすめ、その傍ら全国の刀剣勉強会等で研鑽を積み、各地の団体設立に協力する。昭和47年（1972）、刀剣研究連合会を創設・主宰、機関誌『刀連』発行。「刀剣春秋」にも連載記事執筆。主な著書に『日本刀事典』『日本刀図鑑』『刀工大鑑』（いずれも光芸出版）ほか多数。刀剣研究連合会会長、伝統刀装工芸会代表、文化庁登録審査委員等歴任。平成14年（2002）没。

刀剣書事典

2016年9月20日 第1刷発行

著　者　得能一男
発行者　宮下玄覇
発行所　刀剣春秋
〒102-0085
東京都千代田区六番町9-2
TEL03-3265-5999 FAX03-3265-8899
http://www.tokenshunju.com
発売元　株式会社宮帯出版社
〒602-8488
京都市上京区真倉町739-1
TEL075-441-7747 FAX075-431-8877
http://www.miyaobi.com/publishing
振替口座 00960-7-279886
印刷所　モリモト印刷株式会社

 ISBN978-4-8016-0056-0 C3570